# CONTENTS

## 1079
### 18 November 2011

046

087

114

132

136

**Publisher :**
Megalink International Communications Ltd.

**General Manager :**
Rebecca Man

**Deputy Chief Editor :**
Karen So

**Studio Manager & Senior Editor :**
Kim Chien

**Senior Editor :**
Penny Cheung

**Asst. Editor :**
Patrick Lam / Euson Leung

**Senior Photographer :**
Guy Law / Jeffrey Siu

**Photographer :**
Herman Cheung

**Reporter :**
Tramy Lam / Nelson Sin
Vic Lai / Hebe Wong
Seiki Pang / Isabelle Hon

**Art Director :**
Jovi Wong

**Asst. Art Director :**
Wai Shek

**Designer :**
Kuen / Monique / Kit / Gary / Ravi

**Illustrator :**
Apo

**Advertising Department :**
Cero Chan / Tommy Lam /
Sumei Cheng / Rainbow Wong

**Senior Marketing Manager :**
Keith Kwok

**Marketing Manager :**
Katie Wong

**Production Supervisor :**
Leung Chi Fung

**Publising Company :**
Megalink International
Communications Ltd.

8/F, Paul Y. Centre,
51 Hung To Road, Kwun Tong,
Kowloon

**Postal Address :**
觀塘郵箱69518號
**Tel :** 2115 9229
**Fax :** 2115 9929
**Advertising Hotline :** 2115 9939
**Advertising Fax :** 2115 9328

承印：天寶印刷有限公司
柴灣新業街5號王子工業大廈4字樓
**Tel :** 3428 3837
**Fax :** 3428 2737

發行：吳興記書報社
Ng Hing Kee Book & Newspaper
Agency
九龍油塘高輝道27號
友聯工業大廈地下及1至2樓
**Tel :** 2759 3808
**Fax :** 2759 0050

新超級瑪利歐兄弟 Wii

領匯 The Link
We WISH YOU A MERRY XMAS

SUPER MARIO FANS

健力士世界紀錄珍藏館

記住帶埋相機一齊追尋瑪利歐！

2,000多件世界各地的瑪利歐珍藏品由『健力士世界紀錄保持者瑪利歐精品收藏家』 Mitsugu Kikai於日本遠道帶來，分別於5個領匯商場同時展出，打造全亞洲最大型最齊全的瑪利歐精品珍藏展！

## 11月16日 至 12月27日
12:00nn-10:00pm

Mitsugu Kikai

旗艦館
樂富廣場

長發廣場
青衣港鐵站

其他展館

鯉魚門廣場
油塘港鐵站

龍翔廣場
黃大仙港鐵站

啟田商場
藍田港鐵站

聖誕消費獎賞
於指定55間領匯商場憑即日發票消費滿$200即換*

Mario Kart Wii Racing Collection
第三代獨家限量版扭蛋

日期 12月2至26日
（逢星期五、六、日及公眾假期）

時間 12nn - 8pm

*詳情請參閱網頁及場內海報

  | 領匯 We Wish You A Merry Xmas

主辦：
領匯 The Link

活動專線 2960 9330（逢星期一至五，上午十時至下午七時）
領匯 website: www.thelinkreit.com
活動內容如有更改，恕不另行通知。
所有活動受有關條款及細則約束。如有任何問題，可向商場顧客服務台查詢。

www.nintendo.com.hk
© 2009-2010 Nintendo
TM, ® and the Wii logo are trademarks of Nintendo.

ⓐ 80-90年代瑪利歐限量版錢箱（非賣品）
ⓑ 80年代瑪利歐動畫一桃太郎篇
ⓒ 全球限量40000件的瑪利歐擺設
ⓓ 瑪利歐金版懷舊雕塑（非賣品）

# 「非常」教師！？

今個星期打開報章，睇到某報章嘅A1頭條以「學界病假女王」做題，新聞內容係指香港地有一個女教師經常請病假，實質係去秘撈，搞到學生同校方都叫苦連天！呢一篇報導，真係令到本人產生好多疑問！

1. 一份香港最大嘅日報，頭條竟然同時事、民生、新聞完全冇關係，唔單只唔係報導世界大事，又唔係香港要聞，竟然係報導一個老師經常請病假嘅「故事」，將呢個「故事」攞嚟當「重要新聞」，真係好懷疑嗰份報章嘅總編輯揀頭條嘅辦理能力呀！希望佢呢個選擇嘅原因係因為冇乜其他更重要嘅新聞報導喇！

2. 一個老師經常請病假，本人真係覺得呢個行為好無恥。嗰個老師可能自覺自己都係一名打工仔，請病假有乜咁大不了！呢個「打工仔」嘅概念，本人覺得係曾特首教壞晒，如果佢當日唔係有一句標語「我會做好呢份工」嘅出現，就唔會搞到而家嘅人吓吓當自己做緊嘅嘢只係一份工而已喇！特首呢一個咁重要嘅任務，都當係「打份工」，難怪佢「份工」做得咁差，試問世上有邊個會鍾意自己打緊嗰份工㗎。既然特首都有咁嘅心態，咁老師、醫生、護士、警察、法官等等專業人士，又點解唔可以當自己嘅職業係「打份工」啫？其實每個人嘅工作都有神聖嘅一面，若果唔齋當係一份工作，認真啲看待，就唔會咁冇責任感，搞到學生同校方都咁多麻煩喇！

3. 再講關於呢篇新聞報導，除咗事件嘅輕重，唔值得放喺頭條之外，新聞嘅內容都存在住好多唔確定嘅因素，例如冇真正嘅投訴紀錄，又冇明確嘅證人，嗰份報章所提及嘅證人；即係校方同學生，都係隱形證人，亦冇當事人嘅訪問，以一個最基本嘅新聞報導嚟講都唔合格喇！唔通新聞報導嘅水平已經淪落到呢個求其寫嘅地步？再係咁落去，報章就冇咗高尚嘅形象，其實呢份報紙嘅形象一向都係咁上吓嘅！

最後，作為學生嘅你，面對「非常」報章又好，「非常」老師都好，只要認清楚自己嘅標準同觀念，就唔怕俾外界奇怪嘅準則影響。大家要識得獨立分析，唔好人哋俾咩資訊你，你就好似一嚿棉花咁吸晒先得呀！

Karen

## 特別附錄！偶像4R相

小禮物又出場喇！今期〈yes!!〉特別印製咗4款超級精美嘅4R靚相俾大家儲起，而呢4款靚相都係經過細心挑選㗎！當中包括天后級組合Twins、亞洲天王周杰倫、巨肺天后G.E.M.同埋2011新人王林欣彤。張張都係靚相，Fans絕對要好好珍藏呀！

# iBeauty 納米離子 精華噴霧器

❤ 亮粉紅　　❤ 香檳金　　❤ 珍珠白

**24 時間**

高速メノミストで

**うるおい補給**

スプレーの効果

## 商品詳細

110mm

52mm　　22.5mm

- 電力：2W
- 電源：3A電池 X 4粒 (不包括)
- 噴霧量：約0.9ml / 分鐘

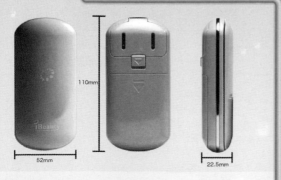
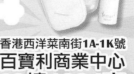

有信到

006

To Yes:
你好....我是Robert Pattison既fans

1.有日,韓,台既page 可唔可以加d寫外國明星既page?

2.twilight 係12月22號就會上映,可唔可以係之前就下d專題報告?

我期期yes都追架...祝yes大賣...

By:Chocolate

Chocolate :
Hello, 你好呀!多謝你嘅來信。你好「生面口」喎,雖然你有講,但係我相信你係首次來信嘅讀者,好開心可以收到你嘅信呀!等我為你回答來信先。

1. 當然可以喇!其實我哋久唔久就有一個「westlive」專欄,會不定期講吓外國,特別喜歡歐美地區嘅明星㗎,所以你咁鍾意外國明星,就要留意住呢個欄目喇!

2. 當然會喇!我哋一定會為大家好好介紹呢套電影,你留意住「coming movie」呢個欄目就OK㗎喇!
祝 甜甜蜜蜜!

〈yes!!〉

VivIaNv3v :
你好。多謝你嘅來信呀。首次來信呀,咁就一定要聽我講,得閒要多啲寫信俾我哋,我哋真係非常非常需要大家嘅意見,就算未必所有意見都能夠做到,但係一定會盡力去做㗎。希望好快可以再見到你嘅信呀。

1. 你開心就好啦!
2. 有機會嘅,請耐心等待呀。
3. 我哋會盡量安排。
4. 冇問題呀,我哋有機會一定會捉住佢哋做訪問,不過佢哋勁忙,所以可能要等多一段時間呀。
5. 係呀!好準㗎,你記得期期睇呀!
6. 多謝支持,如果可以講話,傳多啲關於其他欄目嘅意見我哋,等我哋可以做得再好啲。
7. 多謝你呀!希望你一直支持〈yes!!〉,我哋好想你一路支持我哋呀!
祝 開開心心!

〈yes!!〉

To YES!!:
　　你地好牙~我係Stephy,Joey,古巨基既fans,第1次send e-mail俾你地.希望抽中我喇>< )
1)今期yes card有Joey同古巨基超開心牙:D
2)Joey/古巨基/Stephy幾時做yes封面牙?
3)希望yes出多d Joey同古巨基既贈品喇:)
4)希望多d Joey,古巨基同Stephy既訪問喇.3.
5)心理測驗超準牙=)
6)其他專欄都好好睇a0a
7)永遠支持Yes!!
祝 Yes!!期期大賣~

ByVivIaNv3v

To: <yes!!>
哈囉,我叫Cynthia.我係小豬,SJ,少時嘅fans:)我有D意見想講~

1.今期有小豬封面,又有SJ贈品,好開心呀!!!!!
2.希望有小豬50問!!
3.希望有多D唔同類型嘅贈品!當然要有小豬,SJ,少時啦!
4.今期超正!個2011Asia Song Festifval嗰度有SJ同少時!!!!!!thx~
5.希望可以送D實用嘅野^^

祝人氣急升!

by E.L.F Sone Piggy~TUNG

E.L.F Sone Piggy~TUNG :
Hello, 你好!好開心收到你嘅來信,你呢位韓飯、台迷,而家當紅嘅明星都係你偶像嗎!厲害、厲害!即刻回答你嘅來信先。

1. 唔單只之前幾期有小豬封面,今期都有小豬封面喎!希望你都一樣鍾意喇!

2. 我哋都好希望可以同小豬做「QQ idol」,但係小豬實在太忙喇。不過我哋已經好努力去安排緊,一有機會就會同小豬做㗎喇!

3. 雖然暫時唔會有其他類型嘅贈品住,但係你要密切留意,一有機會就會為大家安排。到時一定唔少得小豬、SJ同埋少時!

4. 唔使客氣,今期都有SJ同少時嘅韓國嘅報導,你快啲揭去「hot dot Korea」睇喇!

5. 同上面一樣,一有機會就會為大家安排,請大家耐心等待。等待期間,都希望你會繼續支持〈yes!!〉喇!
祝 戀情韓台!

〈yes!!〉

小圓 :
你好!歡迎你來信呀,你封信雖然比較簡短,但係有問題,長問我就短問,短問短答喇。好開心可以收到你封信,得閒就再Send信俾我哋呀。好嗎?

1. 可以,一有機會一定會出,請你放心喇!

2. 係呀!多謝你咁支持呢個欄目呀,你一定要繼續支持佢哋呀,但佢哋每一期都好用心解答大家嘅難題喇!

3. 你留意住「愛情單元」呀,可能好快會刊登呀。
祝 期期睇實!

〈yes!!〉

To Yes :
我係G.E.M、洪卓立、吳尊和楊丞琳的fans來的!
1:可以出多D吳尊的封面嗎?
2:我係通「性」學堂、占占子教堂、愛情急診室和愛得單元故事的fans來的,好好睇呀!
3:我send左個作品給愛得單元故事,可以出我的嗎?我係彩虹呀!
祝:期期大賣!
By小圓

**jetso**

# 心血大放送!!

「心血大放送」一直深受讀者歡迎，大家既然咁關注呢個欄目，精彩嘅禮物當然會陸續送俾大家喇！每期禮物都係包羅萬有，有偶像相關禮物、好玩好食之物，甚至扮靚實用潮物等等，份量同質素都加碼倍升，一定有款啱你「抽」，快啲埋嚟睇吓喇！真係筍到爆呀！

## 01 激送 電影〈加勒比醉愛日記〉優先場戲票

電影〈加勒比醉愛日記〉係根據記者亨特湯普森（Hunter S, Thompson）同名小說改編。尊尼特普（Johnny Depp）同亨特湯普森原本係好朋友，今次尊尼除咗擔任主角之外，仲係埋監製，遠赴波多黎各首府聖胡安拍攝，飾演一名頹廢嘅報館記者，過住醉生夢死嘅生活，仲喺放蕩狂野嘅女友同一個滿身銅臭嘅生意人之間周旋。而家送出電影優先場門票30張，名額15個，每人可得2張。

鳴謝：洲立影片
問題：尊尼特普喺〈加〉入面飾演一個咩職業嘅角色呢？

優先場資料：
日期：11月30日
時間：21:30
地點：MCL康怡戲院

## 02 獨家激送 辰亦儒香港慶生歌迷會門票

啱啱喺11月10日生日嘅辰亦儒（Calvin），今年生日雖然已經過咗，但就佢嘅生日歌迷會就即將喺下個月26日喺香港舉行。Calvin一向都好錫香港Fans，所以專程嚟香港同Fans一齊慶生。而家〈yes!!〉就獨家送出呢次「辰亦儒2011香港慶生歌迷會」嘅活動門票俾大家，每張票價值$280，而家送10張，名額5個，每人可得2張。

鳴謝：WOW Music
問題：Calvin喺邊月邊日生日嘅呢？

活動資料：
日期：11月26日
時間：18:30
地點：九龍灣國際展貿中心3樓Auditorium

## 03 激送 電影〈贖命〉換票證

電影〈贖命〉係一套非常特別嘅港產片，呢套戲嘅內容唔單只同靈異世界有關，男主角陳奕迅（Eason）更首次用全英文對白做戲。睇Eason拍戲就睇得多，但係今次要講英文對白，真係非常特別。Eason今次仲同外藉女演員合作，令呢套戲好有荷里活電影嘅味道，真係唔可以錯過呀！而家送出20張電影〈贖命〉換票證俾大家，名額10個，每人可得2張。

鳴謝：EDKO Film
問題：電影〈贖命〉嘅男主角係邊個呢？

## 04 激送 楊天命〈行運秘笈〉

有線娛樂台製作嘅節目〈行運秘笈〉，由楊天命師傅、劉ןmeaning軒、陳嘉容同陳偉成主持，每集都會透過唔同嘅民生主題，例如如「我唔做小三」、「我要買樓」、「我唔做剩女」、「我要升職加薪」等等…。楊師傅會以玄學角度，為觀眾「全方位改運一條龍」，仲會傳授「養生秘笈」、「發達秘笈」同「絕世秘笈」俾大家。有線娛樂台特別邀請楊天命師傅炮製〈2012行運秘笈〉，而家〈yes!!〉就送出呢本「秘笈」俾大家，等大家2012年行大運，名額20個。

鳴謝：有線娛樂台
問題：有線娛樂台節目〈行運秘笈〉由邊4位藝人主持呢？

## 05 激送 新漫畫〈短歌〉、〈二能士〉

玉皇朝最近推出兩本新漫畫。〈短歌〉嘅作者係小手川瑜亞，係講混血美男子克夫本來係一個非常內歛嘅處男，佢好唔容易先可以同佢仰慕咗好耐嘅舞子前輩約會，但係舞子前輩去嘅地方，竟然係短歌會……!? 而另一本新推出嘅漫畫係〈二能士〉，故事係講一種致命嘅疾病「特洛伊」喺世界各地蔓延緊，巡迴僧艾羅突然病發，好彩俾少年奇利救返。今次特別送出〈短歌〉、〈二能士〉第1期俾大家，名額1個。

鳴謝：玉皇朝
問題：〈短歌〉嘅作者係邊個？

## 06 激送 〈爆漫〉Q版扭蛋

〈死亡筆記〉作者小畑健新作〈爆漫〉第2季動畫而家喺日本播緊，連帶相關產品都同步推出。好似呢套Q版人物扭蛋咁，就收錄咗主角最高、秋人、福田、平丸同其他角色，連漫畫人物海獺都有登場，全套6款。今次特別送出兩套俾大家，名額2個。

鳴謝：瑞華行
問題：請講出其中一個〈爆漫〉嘅角色名。

---

### 第1078期「心血大放送」得獎名單

**電影〈丁丁歷險記〉優先場門票**
得獎者將會獲另行通知

**鍾嘉欣簽名相**
Kwok Ming Ki、廖康宇、Wai Yee Ki、Wu Sze Hang、林嘉穎、Yip Ching Wan、Lui Wing Ho、張美賢

**福音專輯〈天愛II〉**
Chan Wing Yin

**少女時代絕版月曆**
謝妍雅

**〈鋼之鍊金術師─嘆息之丘的聖星〉座枱月曆**
Ma Kai Yin、Ma Pui Ki、Wong Suet Lan、Yan Wai Yee、Ma Kai Yin、Lee Siu Man、Leung Yuk King、Ken Wong、Li Sze Hang、Cheung Yim Fai、Lui Wing Ho、Fong Kwok Yuen、Lai Pak Man、Lai Ying Tung、Chow Suk Fun

**Q版獨眼高達扭蛋**
得獎者將會獲另行通知

如果你都想得到以上01-06嘅禮物嘅話，只要答中該禮物嘅問題，連同姓名、聯絡電話、身份證號碼英文字頭及首3個數字E-mail到gift@yes.com.hk就有機會得到，記得標題要註明「第1079期心血大放送」同寫明想要邊份禮物喎，想要就快手喇!!

註：以上得獎者將會有專人以電郵通知領獎，而得獎者以收到得獎電郵通知為準，敬請留意。

# pic it out

# 偶像Pic Pick

平時睇開都係數碼相，一個Copy曬成幾十張都得，邊度得嚟吃香？我哋〈偶像Pic Pick〉送出嘅相就唔同嘞，因為每一套相都絕對係獨一無二嘅偶像親筆簽名寶麗萊，無論係「精Pic」、「怪Pic」、「結Pic」，也都有，你想Pick就有得Pic Pick！

## Set A：林欣彤

問題1：林欣彤喺最新嘅大碟入面一共收錄咗幾多首歌呢？

## Set B：G.E.M.

問題2：G.E.M.幾多歲奪得「叱咤樂壇生力軍女歌手金獎」呢？

「1078期我要即影即有」得獎名單：

Set A 糖妹
答案：〈樂遊約克郡〉
得獎者：Tsz Kwan Chan

Set B 王祖藍
答案：基督教
得獎者：Sung Ting Tung

係咪好心動、好想要呢!? 只要你哋Send E-mail到gift@yes.com. hk，標題註明「1079期我要＿＿＿即影即有」，內容寫低姓名、聯絡電話同身份證號碼英文字頭及首3個數字，加上問題嘅正確答案就有機會得到喇！如答中問題者太多，我哋會以抽籤形式選出得獎者！想要就快啲Send E-mail嚟喇。

*所有得獎者將以電郵通知領獎，敬請留意！得獎者以收到電郵通知為準。

Text_Vic  Art_Gary

# BSQUARED ²

The 2nd generation of Bsquared. Upgraded with colorful aluminum bezel and buckle to ensure this watch is so light that you can hardly realizes its on your wrist. Comes in a choice of color with silicon strap or stainless steel mesh band. Constructed of ABS material for the case and pushers, it spots 2 separate LCD with backlight functions. Water resistant to 30M.

# YES!! Card專區!

## 又一實用之選 USB時鐘留言板

留言板

〈yes!!〉Card嘅禮物向來以「愛·實用」為主,而今發特務K特別向大家推介嘅〈yes!!〉Card禮物就係USB時鐘留言板喇!呢個USB時鐘留言板嘅實用之處除咗係一個鬧鐘之外,仲可以計時同倒數,亦可以係溫度計,而最重要係有一塊透明冷光面板俾大家留言,有咁多功能嘅USB時鐘留言板只需要68張第69發〈yes!!〉Card就可以換到喇!提一提大家,第69發〈yes!!〉Card會喺11月24日隆重推出!

### 第69発今發禮物推介:

一共有3款,分別有炎亞綸、鍾嘉欣同埋部麗欣,只需15張第69発〈yes!!〉Card就可以換到。

偶像Schedule Book

---

**To:特務K**

我係Gem、糖妹、Rainie嘅Fans!!!
1. 西九龍「冒險樂園」唔比人換$1扭卡啊,元洲邨「冒險樂園」經常冇$1比人換啊,麻煩跟進吓!!
2. 幾時先有5R同4R相簿?? 如果出電話可唔可以出糖妹同Rainie嘅相簿?
3. 幾時會再出銀卡啊?? 好想再要>< 希望你能接納我嘅建議!! Thx…
祝〈yes!!〉Card大賣^_^

By EwD

---

**To:特務K**

Hi!我係第一次Sd信喺,希望抽中我啦!
1. 可唔可以出多D日星〈yes!!〉Card啊?日星嘅〈yes!!〉Card好似好少=.=
2. 可唔可以出少女時代成員〈yes!!〉Card啊?好似一個成員一張〈yes!!〉Card咁。
3. 可唔可以出AKB嘅〈yes!!〉Card啊?
祝〈yes!!〉大賣

By 日飯

---

**To:特務K**

你好呀!!!! 我係第一次Send信喺!我係鍾嘉欣同Twins嘅Fans!希望抽中我啦!!!
1. 鍾嘉欣同Twins嘅〈yes!!〉Card好難扭,出多D佢哋ge卡啦!!
2. 幾時出鍾嘉欣嘅Mini卡簿?好想要!!
3. 〈yes!!〉Magazine幾時有Twins嘅封面?
祝〈yes!!〉生意蒸蒸日上!!!!!!!!!!

By KAREN

---

**To:特務K**

你好呀!!我係第3次寄信喺家;)抽中咗一次,好開心;)希望今次都可以抽中!!
我係嘉欣、峯、若琳、若希、少時ge Fans =)有D意見提出。
1. 點解呢排好少少咗Fung ge 5R相!?
2. 可唔可以出多D嘉欣、峯、若琳、若希ge禮品同卡呀?
3. 少時D禮品真係好靚呀!!讚^^
4. 仲有,可唔可以D閃簽名Pose唔同?張張都一樣咁;(
5. 可唔可以出多D唔同Card嘅品呀???
希望唔好介意我問咁多問題~仲有希望可以抽中我呀!!!
祝〈yes!!〉期期大賣,更加多人抽〈yes!!〉Card~;)

By LaiTung;')

---

### 特務K信箱:

1. 呢位鍾意G.E.M.、糖妹同楊丞琳嘅Fans要留意喇!噪緊第69発〈yes!!〉Card當中會有佢哋幾位嘅〈yes!!〉Card出現,而G.E.M.同楊丞琳仲會有閃簽夜光卡添,記住唔好錯過喇!

2. 關於西九龍同元洲邨「冒險樂園」找換$1嘅問題,我哋會同商鋪反映吓,希望可以幫到大家!

3. 想再出鍾嘉欣嘅卡簿?你嘅意見我哋會幫你反映吓,不過下期禮物都會有鍾嘉欣嘅Schedule Book出現,喀喀緊緊嘅一年相信呢份禮物大家都啱用!

4. 其實我哋間中都會出日星嘅〈yes!!〉Card,好似喀緊第69発〈yes!!〉Card就會有w-inds.出現,鍾意佢哋嘅Fans記住扭扭幾張喇!

5. 吳若希嘅Fans要留意喇,第69発〈yes!!〉Card會有佢出現,千祈唔好錯過喇!

6. 想要林峯5R相嘅話,就記住留意第69発〈yes!!〉Card嘅禮物喇,當中會有你哋想要嘅林峯5R相出現,敬請期待!

今期被刊登意見嘅朋友可以得到鍾嘉欣親筆簽名5R相1張,我哋會通知你上嚟領獎喇!

---

Card迷如對〈yes!!〉Card有任何意見,歡迎電郵到yescard@yes.com.hk向特務K匯報。
查閱〈yes!!〉Card經銷商及禮物換領點可到:http://www.yesmagazine.com.hk/

# yes!! card

## 第68発

### 11月3日登場

偶像水晶卡

憑任何58張即期yes!!
card,即可到指定換領點,
即場換取偶像水晶卡一塊。
(11月5日開始換領,
換完即止)

## 偶像簽名5R相

憑任何8張即期yes!!
card,即可到指定領點
即場換取偶像簽名5R相一張。
(11月5日開始換領,
換完即止)

## 偶像MINI卡簿

憑任何15張即期yes!!
card,即可到指定領點
即場換取偶像MINI卡簿一本。
(11月5日開始換領,
換完即止)

〈yes!!〉card 禮物換領指引

＊每人每款禮物最多限換2件,舉例:如該期〈yes!!〉card有3款禮物,即每
 款禮物最多可換2件,3款禮物合共總數6件。
＊如超過限額(包括總數超過6件或同款禮物超過2件),均必需重新排隊輪候。
 如有任何爭議,〈yes!!〉card 禮物換領點保留最終決定權。
〈yes!!〉謹啟

(所有禮物必需用即期yes!! card換領、非賣品、換完即止。)

# LOLLIPOP F

## 4倍發電「肌」

而家潮流興環保,政府同好多機構都經常要求市民少用膠袋、節省能源,但好可惜,成效仲未係好顯著。如果世界上,除咗太陽能發電係最環保之外,可以發明「人工」發電,即係話搵啲靚仔嚟Chok兩下就可以發電,咁就一定更加環保,而且亦可以吸納到更多Fans支持環保添!好似台灣超人氣偶像組合LOLLIPOP F咁呀,佢哋最近推出新專輯〈DANCE〉,大玩電子跳舞音樂,跳舞嗰時下身肌肉猛烈搖動,呢種發電「肌」威力真係無人能及,仲唔電到一眾Fans手軟腳軟!?

## 新碟
## 谷新「電」Look

LOLLIPOP F自從上年推出專輯〈四度空間〉之後，事隔1年左右再推出全新專輯〈DANCE〉，呢隻專輯比上一隻更落力。成隻專輯由頭到尾都搞咗唔少新意，先講舞蹈；LOLLIPOP F特登去咗韓國學跳新舞，大Sell全新概念嘅「愛愛舞」，跟住落足本錢拍主打歌MV，MV以電影規格拍攝，場景極豪華，仲有名車襯托佢哋添！新專輯造型亦全新打造，小煜同敖犬嘅頭髮分別染咗金毛同銀灰色，而且個個都練到好大隻，威廉同阿緯已經練出一身靚腹肌同胸肌等等。上兩個星期LOLLIPOP F更加嚟到香港宣傳新專輯，大談佢哋呢次〈DANCE〉嘅「肌」密。

上兩星期LOLLIPOP F就嚟咗香港宣傳新專輯。

新專輯差唔多推出咗1個月，Fans一定已經買咗喇！

## 網搞
## 全民跳舞

呢隻新專輯有好多資源放喺音樂製作方面，創意方面亦非常豐富，好似出碟之前，4子每人就拍咗一段搞笑短片擺上網，每個成員各自同唔同嘅市民一齊跳「愛愛舞」，令到網民爆笑兼熱爆網絡。阿緯：「其實這些短片是我們自己提議說要拍攝的，我們想在專輯推出之前先在網絡上炒熱氣氛。上一次〈四度空間〉推出時，我們就找了藝人幫忙拍攝『Crazy舞』短片。這一次『愛愛舞』若找藝人拍的話，我想他們會比較害羞，因為不是每個藝人都會跳這個舞和能放開地跳，如果不夠放開和熟悉的話要一起跳『愛愛舞』就有點困難了。」阿緯話喺短片入面，學生、阿婆等主角都係細心挑選出嚟，佢仲話自己同女學生跳舞嗰條短片係公認最好笑添呀！

「愛愛舞」嘅動作比較注重下半身嘅搖動，Sexy得嚟又有勁！

## 新舞
## 跳到腳軟

將「愛愛舞」推廣為「全民運動」呢個Idea唔單只好笑，而且仲對大家好有益，難怪佢哋嘅短片喺YouTube嘅點擊率咁高喇！講到今次新專輯重點主打歌「電司」入面嘅「愛愛舞」，下半身不停猛烈搖動嘅動作，見佢哋4子跳得咁落力，真係令人特別High呀！阿緯：「其實跳這個舞有點困難，除了動作之外，表情要很認真，不可以太搞笑，要很性感，但又不能太Over。所以除了動作要精緻外，表情也要到位啊！」講到尾即係要Chok樣喇，講到Chok又點會難到佢哋呀。小煜：「跳這個舞很累，最累是要邊唱邊跳。剛開始學這個舞的時候，我們每次跳完，每個人都在喘氣，我們喘得很嚴重，根本沒辦法唱歌，而且兩腳一直要維持半蹲狀態，真的會有動不起來的感覺，腿也軟啊！但後來跳多了就不會腿軟，因為我們已將腿肌練到很好喇！」

## 多一倍時間學

小煜話而家不停跳「愛愛舞」都唔會再腳軟，阿緯更加有自信咁話佢哋跳「愛愛舞」係最強，歡迎大家向佢哋挑戰喎！咁就梗係喇，佢哋真係有練過㗎，而且仲花咗好多時間練添。威廉：「這支舞我們練了兩個星期，算是練得比較久的一支舞，通常我們排一支舞，一個星期就已經練好了。要抓到跳『愛愛舞』的精粹是有點困難，不是單憑出力就可以，是要抓到要點！」小煜：「比起上一次的『Crazy舞』，這一次的舞比較跳，因為舞步比較好記，但需要的體力跟爆發力比較多。『Crazy舞』的舞步動作比較難，但不會太耗力，所以兩支舞比起來各有各好啊！」

推出專輯之前，佢哋4子就專登去到韓國進修舞技。

## 敖犬 為舞全傷

跳舞已經成為LOLLIPOP F嘅招牌，如果見唔到佢哋跳舞就唔似LOLLIPOP F，全因為佢哋多年以嚟樹立嘅形象有功喇。其實佢哋由細跳到大，為咗跳舞都犧牲唔少㗎。阿緯：「以前我跟敖犬學Breaking的時候就經常受傷，手腳都有脫臼的聲音，這是永遠不會醫好的傷！現在天氣轉變時都會有痛風（港稱：風濕），筋骨比較緊，但不是很嚴重喇。」敖犬：「我覺得自己全身上下都是傷，都是疤呢！因為以前跳Breaking常在地上磨呀磨，阿緯的腦子還有點撞壞了耶！哈哈！」威廉：「我也有傷呀，以前跳啦啦隊的時候，要用腰力接住女生，長久下來，腰就會痛、不舒服，腰部酸痛令我不能站太久。」小煜：「上一次為了專輯練後空翻的時候，腳就受傷，然後左手的尾指就彎了，現在就影響到彈吉他，好像彈少了幾個音！」

## 拍MV 要飲酒

跳舞早就已經成為LOLLIPOP F生活嘅一部份，但係佢哋私底下又會唔會去Disco跳舞消遣呢？就好似佢哋首主打歌「電司」一樣，喺Disco度又唱又跳呢？敖犬：「我們很少去夜店啊，因為我們都是乖寶寶，這一次拍MV的時候，要喝點酒才能拍出效果！我們出道之後，也只是去過夜店兩、三次而已，記得其中一次是棒棒堂其中一個男孩要去當兵，我們去夜店歡送他，另外一次是舞蹈教室的周年慶，平常我們很少去，我們都很乖喇！」阿緯：「對喇！真的沒有，平常我們都是跟著敖犬，敖犬帶我們去哪裡，我們就去哪裡！」

之前為咗拍MV，LOLLIPOP F就去到久違嘅台北夜店。

# 敖犬 夜店被推

知道LOLLIPOP F而家非常之乖，但係以前呢？未入行前，讀書時期唔通真係冇去Disco玩？小煜：「大學的時候還蠻常去的，大學生都愛出去玩嘛，我愛騎著摩托車出去玩，但出道後真的很少了，因為出道後去夜店被發現會很麻煩，別人總是愛看著你，變成去夜店也不可以放鬆，也沒辦法享受，所以慢慢變成不想再去了。」敖犬：「以前去夜店的時候，中間通常都有一個舞台，那時我學Breaking就想在那邊Show一下，有一次我倒立在地上跳舞，然後有一個警衛一手把我推倒，然後說：『Don't Solo！』，因為台北的夜店是禁止Solo、尷舞的，因為怕發生衝突。當時我真的有點生氣，因為我覺得他不尊重舞者！」威廉：「我其實也有去，但沒有很常去，因為我比較喜歡去Bar，喝點小酒聊天，不喜歡在夜店裡聊天，因為夜店太吵耳了。」LOLLIPOP F雖然唔去夜店，但係想睇佢哋跳舞、騷肌都一樣大把機會㗎，大家可以喺舞台上一次過睇晒佢哋4子一齊發電，咪仲好過喺Disco Nature High！

# 電王之王

問題：
1. 最近很喜歡哪一首Dance歌曲？
2. 最近最喜歡哪一個跳舞歌手？
3. 身上最會「放電」的是哪一個部位呢？
4. 你們覺得哪一位藝人最會「放電」呢？

感恩

1. 「Party Rock Anthem（By LMFAO）」
2. Justin Timberlake
3. 腹肌
4. 林志玲，她全身上下都很會放電，因為我很愛她。

敖犬

1. 「GIRLS ON THE DANCE FLOOR」
2. Lady Gaga
3. 眼睛、人中
4. AngelaBaby，她很可愛、眼睛很大。

小煜

1. 「Party Rock Anthem（By LMFAO）」
2. w-inds.
3. 笑容
4. 楊丞琳，站在她旁邊聽她回答問題時，覺得她不是很刻意，眼神很無辜，但很會放電。

阿緯

1. 「GIRLS ON THE DANCE FLOOR」
2. NE-YO
3. 胸肌
4. 陳妍希，她眼睛很漂亮、很有氣質。

NE-YO

Text_Karen（karenso@yes.com.hk）　Photo_Guy
Wardrobe_2%　Special Thanks_金牌大風　Art_wAi

想以新Look示人？

# 首選Zing Hair!

Zing Hair Salon位於花園街側，鄰近太子地鐵站，交通方便。時尚裝潢，環境舒適，務求為客人提供專業，體貼的服務。

為令客人創造到最佳的髮型效果，本店引入多元化的先進機器，更備有多種染髮及造型產品。專業的髮型顧問，為客人設計稱心的髮型，全面照顧客人的需要。附設學生優惠及其他優惠套餐，價格相宜，贏盡口碑，誠意為顧客服務。

## Zing Hair!

## Zing級髮型組合

### $250(任選四款)

- 洗剪造型
- High Light
- 顏色護理
- 陶瓷曲髮
- 離子直髮
- 電髮造型
- PPT髮膜
- 修護焗油

## 學生優惠 二人同行

### 每位$200 (凡惠顧此優惠前，請出示學生證)

B1 旺角警署
太子大廈
太子道西
別樹華軒 B2 別樹一居
櫻桃街
Zing Hair

地址：旺角太子道西177號舖1樓 (太子地鐵站B聯合廣場出口直行)
查詢或預約電話: 2381 9558　www.zing-hair.com

歡迎使用

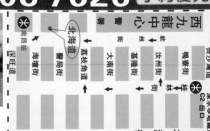

激爆！

羅志祥

台下真面目

而家科技發達，可以好輕易得到好多訊息。特別係藝人，好多藝人都鍾意將自己嘅生活照放喺微博度俾Fans睇。Fans可以親身睇到偶像最真嘅一面，當然係求之不得喇。雖然微博係由偶像真人「發聲」，但係仲有好多「面」未曝光㗎！好似亞洲天王羅志祥（小豬）咁，Fans可以睇到佢喺舞台上能歌擅舞、Chok爆有型嘅一面，但係真實嘅小豬，可能好多Fans都仲未係好清楚㗎。想知小豬呢位亞洲大紅人嘅「真面目」，就梗係要由佢身邊發生嘅蹺蹊事揭開啦！

## 真面目1 勁認真

羅志祥最近就出咗「生命之舞LIVE TOUR」嘅DVD。雖然呢張只係演唱會嘅DVD，但係銷量就勁破紀錄，先前預購限量3萬隻，早就已經賣晒，最近再推出3萬隻正式版亦都俾Fans一掃而空。正式版啱啱先推出，大Sell唔同預購版嘅新造型。據知小豬為咗呢個新造型，都花咗唔少金錢同埋時間呀！小豬：「唱片公司重金訂製3套全新造型，除了預購海報視覺中的『生命圖騰戰士裝』、預購版『生之戰 預購限定盤』和正式版『舞之華 正式強襲盤』的造型就斥資60萬新台幣打造，用了近2個月時間討論，設計了黑、白2套服飾，代表生命之舞的戰士裝。」正式版入面重新打造兩套一黑一白嘅造型。小豬：「舞蹈對我來說是一種純粹，而最能代表這種絕對能量就是黑色和白色，單純又直接，所以打造造型師討論後，我們特地製作了這3套純粹絕對的生命之舞戰士裝！」淨係出DVD就已經咁鬼認真製作，可想而知嘅下嘅羅志祥比起台上嘅佢更加認真呀！

正式版DVD仲有送「舞之華寫真冊」，完整收錄羅志祥「生命圖騰戰士裝」同「競舞生命戰士裝」嘅華麗靚相！

## 真面目2 錫粉絲

除咗對工作認真之外，小豬對佢嘅歌迷可以用「溺愛」嚟形容呀！事關佢每次出任何產品，都係為咗俾更多嘅「愛」佢班「老婆」呀！好似今次嘅DVD入面，小豬就隨碟附送「羅志祥專屬LIVE應援卡」，只要打開呢張有聲卡，就可以聽到小豬感性嘅聲講嘢㗎喇，小豬：「我從不放棄，因為我擁有你們，答應我，一起陪我走下去!!我愛你們。」可以擁有同成日聽到小豬把聲，呢一招都俾佢諗到，真係抵佢有咁多Fans呀！另外，上星期小豬喺台北搞咗個簽名會親親Fans，更度橋搞一個「生命之舞」比賽，俾Fans邊騷舞技邊有機會得到小豬著嘅嘅打歌服。咁為Fans著想，真係難怪小豬一個簽名會，輕易吸引2、3千Fans到場喇。

小豬呢張DVD銷量勁高，總計已經賣出6萬隻！

小豬呢日喺台北簽名會，由中午12點起簽，簽到午夜，一共幫超過2500名Fans簽名。

現場小豬嘅Fans進行跳舞比賽，贏咗嘅Fans可以得到一套小豬嘅打歌服。

## 真面目3 愛動物

好多Fans都知道小豬好鍾意動物，因為小豬屋企養咗好多種動物，當中貓狗都有好多隻，呢種愛動物嘅性格，完全遺傳自佢媽咪（羅媽媽）嘅。小豬：「我媽只要在街上看到流浪貓跟狗，就想把牠們帶回家養，我媽真的超級有愛心，對動物很好，愛動物這一點也是被媽媽所影響的。」據知小豬台灣嘅老家地方相當大，主要係因為要俾羅媽媽好好哋養動物。就係因為小豬咁錫嘅動物，所以最近小豬就獲動物權益團體「亞洲善待動物組織（People for the Ethical Treatment of Animals Asia）」（簡稱PETA）邀請做亞洲區善待動物嘅大使。呢個使命認真大呀，喺宣傳廣告入面，小豬會同一隻俾人救助嘅流浪狗Sammy一齊拍攝，呼籲大家「領養狗隻，拒絕購買！」而且據知小豬呢次絕對係拍硬檔做義工，絕對冇收取任何酬勞㗎！可想而知佢幾咁有愛心呀！

小豬成為善待動物大使就知佢幾有愛心喇！

## 真面目4 超孝順

小豬唔單只有愛心，仲好有孝心添！小豬孝順就出晒名，而且大家都有目共睹。羅馬媽下星期就生日，小豬最近就話煩緊應該送咩生日禮物俾媽媽好。小豬：「最近不知道誰教羅媽媽上網，她常常從facebook和微博觀察我的一舉一動。連我和Party Boys的好友出去看場電影都會被媽媽發現，還叮嚀我趕快回家休息！有時候我只是想放鬆、休息一下，我知道媽媽是關心我，但還是有一種被FBI監控的感覺！」原本有人建議小豬送最新嘅iPad 2俾羅媽媽，但係小豬就怕羅媽媽最近迷上手機視訊功能，三不五時就要求小豬用FaceTime叫佢拍周圍嘅環境俾佢睇，而且仲會發「啾咪」嘅相俾佢喎！雖然小豬唔會送iPad 2俾羅媽媽，但係聽講小豬都非常有羅媽媽心，打算送一部按摩椅俾羅媽媽，等佢可以好好享受吓呀！

小豬孝順就係人都知，羅媽媽更因為咁而成為半個藝人。

## 真面目5 朋友多

小豬對動物好，對家人好，對朋友都非常好，好似娛樂圈入面好多藝人都當小豬係好朋友㗎。好似小鬼當小豬係「主任」，楊丞琳同蔡依林都當小豬係「好姊妹」等等。有咁多好朋友喺身邊，梗係因為小豬好真心對人喇。小豬：「認識朋友是靠緣份，但也是要用心去對待朋友才行，如果你用心去對朋友的話，對方一定知道你 ▮ 小豬工作咁忙，咁多工作要兼顧，係唔係真係有咁多時間去「關心」朋友呢？小豬：「時間是自己安排的，要做就一定做得到，而且對朋友要用心的，有時候可能只是簡單一句話，就可以關心朋友。而且我跟朋友說話很直接，不會隱藏，而且我會偷偷注意他們，再跟他們講我有在關心他們阿。」小豬咁有老友心，難怪佢喺娛樂圈人緣咁好喇！

小豬同楊丞琳因為拍劇而成為好朋友，仲用「姊妹」嚟形容兩人嘅關係。

小鬼同小豬份屬好友，小鬼仲將小豬當成良師益友添。

## 真面目6 身體強

唔少小豬嘅Fans都會發現小豬成日好夜都仲喺微博出現，學羅馬媽話齋，小豬究竟有冇好好休息㗎？而日前小豬因為DVD簽名會，一口氣簽超過1萬2千隻DVD，搞到手部肌肉發炎。其實Fans真係唔使太擔心小豬，因為佢除咗本身精力充沛之外，因為佢成日跳舞，所以身體好好呀。小豬：「手的部份，我有看醫生，而且有去按摩，現在好了，大家可以放心。其實我平常都有做健身的習慣，我一有時間就會去健身，而且我家都有健身器材，所以只要我有時間，就可以馬上健身了。」所以話呢，就算成日見到小豬深夜仲「流連」微博，但係佢嘅身體超好，好到開多幾10場演唱會，晚晚又唱又跳，都唔會覺得劫呀！

小豬話幫Fans簽名影相係唔會得劫，簽再多名，隻手發都話冇所謂。

Text_Karen（karenso@yes.com.hk）
Special Thanks_金牌大風 Art_kIT

雖然現在「嘅模」泛濫，但亦造就少女們對投身模特兒、成為萬眾焦點的機會。Emily Chow周冰鑫也夢想成為一名潮流Top Model。能擔當模特兒的人，單是外表已要求身材高挑、絕不能有多餘脂肪，Emily笑說大可以放心，全因為她「食極都唔肥」！

**G-Shock 城市驚喜**

Halo :)
我係Emily布丁 ^^
希望大家多多支持我啦 :t

變身潮模
Emily Chow

## 長不胖的潮模

Emily從小渴望當上模特兒，這是因為朋友間經常說她「食極都唔肥」，而且身材不俗，故此支持Emily去當模特兒。不過她認為當Model亦要有才能和自信心，而她現在還是學習當中。而她喜愛當雜誌平面模特兒，因為能穿上潮流服裝，一嘗做「潮人」滋味！

## 異性朋友多

在社交圈子上，Emilty算算手指，也發現自己的異性好友較多，她說：「我喜歡和思想簡單的異性們做朋友，彼此沒有戒心，可以直接吐出種種不快。我很怕被人欺騙的感覺，這些情況在結交異性朋友之中較為少見。」其實女孩子和異性當朋友，也是平常不過的事了。

# 最好有內涵

Emily愛好各地的歌曲,但會先聽其歌詞內容和所表達的意思,否則就算旋律動聽,亦會被遺棄一旁。正如她選擇男友一樣,要求對方必先有理想、有大志,否則樣貌俊俏亦絕不是她的理想伴侶,男孩們,聽到了沒有?

## Profile

中文名:周冰鑫
英文名:Emily
生日:1994年2月22日
年齡:17歲
三圍:34-24-36
身高:167cm
體重:43kg
嗜好:影相
偶像:飛輪海
口頭禪:吓!?
就讀學校:當代書院
最喜愛的藝人:炎亞綸
最喜愛的食物:冰淇淋
個人理想:當上Top Model
個人座右銘:簡單就已經好幸福
近期生活目標:聖誕節去旅行
此刻的心願:連續睡3天3夜

如果想同Emily Chow傾偈,可以E-mail去g-shock@yes.com.hk,標題註明Attention俾Emily Chow就得喇!不過,覆唔覆就由女仔話事喇!有膽有自信嘅,就快啲寄嚟喇!另外,如果你自問有今期〈城市驚喜〉女主角咁靚,又或者覺得自己比佢更靚、更索,想成為〈城市驚喜〉嘅一份子,就請火速將近照連同個人資料E-mail去g-shock@yes.com.hk,到時我哋就會搵專人同你聯絡㗎喇!

**Text**_Nelson **Photo**_Guy **Art**_Gary

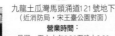

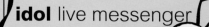
# 陳偉霆　洪卓立
## 送抱獻「吻」

家陣做藝人真艱難，唱好歌、跳好舞原來只係基本功，如果藝人想留住班Fans，仲要識得出冧功先至得。講到呢方面，好彩陳偉霆（William）同洪卓立（Ken）係男藝人，起碼出冧Fans都唔使怕蝕底呀。佢哋喺上星期日專程去到元朗一個商場舉行抱抱會，答謝支持佢哋嘅Fans，Fans一知道有得同偶像近距離接觸，嗰度一早有大批歌迷排隊等見偶像，場面認真誇張。嗰日William同Ken唔單只同Fans抱抱，仲同佢哋玩遊戲，面對面隔空嘴對嘴傳食物，喺Fans心目中，呢個舉動同錫佢哋差唔多啦，Fans梗係好開心喇，William同Ken真係唔話得喇！

William同Ken分別為女Fans近距離接觸玩遊戲，唔知呢兩個Fans有冇受寵若驚嘅感覺呢？

唔好以為嗰日得女Fans撐場支持呀，佢哋請Fans上台嗰陣都有男Fans㗎。

William同Ken為咗答謝Fans支持，又抱抱又面對面玩遊戲，唔知其他歌手會唔會話佢哋做壞規矩呢？

# Twins 未到聖誕先摷銀

成日都聽見啲歌手講，年尾嘅聖誕同除夕夜係登台接Job嘅黃金時期，雖然而家只係11月，但Twins同林峯已經飲咗頭啖湯，食住聖誕條水喺商場出席開幕儀式，就算未到佳節，酬勞都已經袋袋平安喇！話時話，唔知聖誕同細路仔有咩關係呢？大會不約而同咁分別安排咗兩個小朋友落台同林峯同埋Twins合照，不過唔明唔緊要，最緊要係佢哋見到打扮趣緻嘅小朋友嗰陣笑得好燦爛，鬼咁開心就得喇。未到年尾已經有活動，又咁有歡樂氣氛，你哋仲唔贏晒？

阿Sa同阿嬌最近密密接Job，拍住上同大家見面。

大會拎咗Twins 10年前喺同一個地方倒數聖誕節嘅相出嚟，孖女睇到都好驚喜。

唔知阿峯同司儀傾緊啲咩咁好笑呢？

大會安排咗兩個小朋友同林峯同台，小朋友嘅衣著同阿峯一樣咁有型喎。

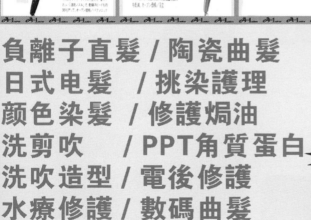
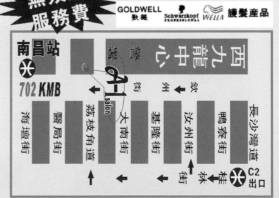

# G.E.M. 演唱會殺入戲院

喺戲院上映演唱會片段其實唔算係咩新奇事,但係香港就好似冇乜歌手咁做過,而最近G.E.M.就先拔頭籌喇!G.E.M. 5月嘅紅館個唱叫好叫座,加開Part 2都唔夠,仲成日四圍俾Fans問佢幾時出演唱會DVD,可見呢個演唱會真係好受歡迎兼且令人好難忘。有見及此,G.E.M.就決定將演唱會搬到戲院上映,令大家無論喺視覺定音效上都好似置身喺紅館現場一樣咁心情興奮呀!日前佢喺戲院搞咗場試映會,有唔少Fans入場支持,G.E.M.仲同大家合照同切蛋糕,搞到嗰日變咗個歌迷聚會咁呀!

G.E.M.經常同經理人拍住上,當然要影返張合照喇。

G.E.M.睇見個蛋糕咁靚都唔捨得切呀。

演唱會咁精彩,Fans當然會再買飛入戲院支持G.E.M.喇。

# 容祖兒 彈結他最強

一個歌手紅得起可能有唔同原因,貴為樂壇天后嘅容祖兒(Joey)之所以由出道到而家紅足10年,因為佢從來都係以實力見稱,即使Joey有好好嘅唱功都未曾鬆懈過,佢仲不斷要自己進步。自從上次開紅館個唱嗰陣首次自彈自唱,令觀眾歎為觀止之後,Joey並冇因為咁而自滿,仲密密繼續苦練結他,希望喺適當時候再表演俾大家睇。Joey終於喺日前電台主辦嘅個人音樂會上面,出動呢支結他武器喇!當晚Joey梗係唔少得大唱情歌,轉咗新髮型嘅佢就算之前忙住拍戲,表演嗰陣時依然精神奕奕,再加埋結他配靚聲,Joey真係贏晒喇!

有樂手幫Joey拉二胡伴奏,觀眾份外聽出耳油。

音樂會舉行得咁成功,梗係要開返支香檳慶祝吓喇!

Joey唱每首歌嗰陣都非常投入,樂壇天后真係實至名歸。

Text_Seiki Art_kIT

# 新戲開鏡
## 明星鬥搶鏡

早幾日密密有新戲開鏡,好似有謝天華、吳鎮宇擔大旗嘅〈Laughing Gor之潛罪犯〉、黃百鳴出品嘅〈八星抱喜〉,同埋Mr.有份演出嘅〈起勢搖滾〉,所以過多個幾兩個月,大家又可以喺戲院等睇好戲。未有戲睇之前,不如睇吓眾星嘅盞鬼造型先喇,大家睇Laughing哥做警察就多,今次佢喺Laughing哥續集度著住套監犯衫夠晒突破喎;〈八〉入面粒粒星嘅造型都好花心思,好似古天樂、吳君如同埋甄子丹就以懷舊Look現身,佢哋仲熱舞一番添,勁搶鏡之餘,搞到〈起〉嗰邊個勢即時弱咗,唯有切吓燒豬邪一邪佢喇。

Laughing呢個Look相信又會成為網友嘅話題。

Laughing再拍續集,今次依舊有吳鎮宇、徐子珊,睇嚟Laughing哥真係死唔斷氣。

今次喺〈八星抱喜〉入面,可以見識到「地上最強」嘅甄子丹同吳君如做笑片。

喺〈起勢搖滾〉入面,Mr.可以做返自己。

開鏡當然唔少得拜神切燒豬呢啲儀式。

# 陳豪 騎呢Band友上身

早前喺劇集〈天與地〉嘅宣傳活動入面,身為男主角嘅陳豪(阿Mo)、黃德斌同埋林保怡梗係出席撐場喇!佢哋喺當日仲話要即席夾Band俾大家睇,皆因喺劇入面,阿Mo就係做Band友㗎喇。Band Show大家一定睇唔少,不過好似阿Mo呢身造型真係令人不敢恭維喇,揸住支結他彈吓彈吓咁,仲玩埋甩髮、踩台呢幾招添,望落真係有啲騎呢!如果阿Mo要保住荀盤呢個美名,就記得千祈唔好隨便Band友上身喇。

阿Mo呢個Band友造型到底神唔神似,就真係見仁見智。

3位都好Chok得,不過視帝級果然唔同啦,你睇林保怡就知喇。

黃德斌睇落比阿Mo更似Band友。

阿Mo仲鬼馬到同人一齊舉手嗌「Yo」添。

其他藝員同事扮返劇入面嘅角色,所以大家都做Band友。

**Text**_Hebe **Photo**_Herman(潛罪犯)、Jeffrey(八星抱喜)、Guy(起勢搖滾、天與地) **Art**_AK

# 黑Girl 唔再行舊路

早前黑Girl喺香港出席活動嘅時候，3位成員丫頭、小蓁、庭庭都有提到佢哋隻新碟〈黑Girl〉，佢哋話因為得2個月時間準備，所以今次隻碟得2首歌，Fans唯有聽住呢2首歌嚟止吓渴先喇！話晒黑Girl都試過拆夥再重組，所以3位成員都異口同聲話唔會再好似以前咁，要有啲突破喎！唔通佢哋想行性感路線？原來佢哋講緊嘅係歌路方面嘅突破，丫頭話今次隻碟會聽得出佢哋已經大個咗，唔會再Sell少女呀！唔行舊路都啱嘅，不過聽住丫頭用娃娃音嚟唱歌，又好似難啲Feel到佢哋「大個咗」喎！

鄭融當晚呢套衫，又著得佢幾瘦喎。

當晚黑Girl著咗條花花短裙，睇落又真係咁少女嘞。

雖然黑Girl話唔再行少女路線，但係佢哋依然表情多多呀！

當晚HotCha都有出席活動，仲跳舞跳到爭啲做埋拱橋咁款，犀利犀利！

**Text**_Hebe
**Photo**_Jeffrey **Art**_Moni

---

## **go** go star

### 本周星蹤：18/11—24/11

**古巨基**
日期：20/11
時間：19:30
地點：九龍灣MegaBox
活動：聖誕亮燈活動

**Twins**
日期：18/11
時間：19:00
地點：奧海城
活動：聖誕活動

**陳偉霆**
日期：19/11
時間：11:00
地點：將軍澳東港城
活動：東港城「香港舞動馬拉松2011」

**鍾舒漫**
日期：19/11
時間：11:00
地點：將軍澳東港城
活動：東港城「香港舞動馬拉松2011」

**Boy'z**
日期：19/11
時間：11:00
地點：將軍澳東港城
活動：東港城「香港舞動馬拉松2011」

**JPM**
日期：20/11
時間：15:00
地點：觀塘apm大堂
活動：apm潮裝聖誕華麗の旅×JPM「月球漫步」簽唱會

**鍾嘉欣**
日期：19/11
時間：14:00
地點：天水圍嘉湖銀座
活動：長江實業商場「芝麻羔×聖誕夢想之旅」啟航慶典

**C AllStar**
日期：20/11
時間：15:00
地點：九龍灣MegaBox地下
活動：MegaBox「柯尼卡美能達綠色音樂會—儲電大行動揭幕禮」

**胡定欣**
日期：21/11
時間：13:00-14:30
地點：尖沙咀麼地道68號帝國中心地下
活動：尖沙咀中心、帝國中心「首屆香港小丑節」第2回遴選

**區文詩**
日期：19/11
時間：21:00
地點：旺角朗豪坊12樓Live Stage
活動：Live Stage@朗豪坊

**鄭秀文**
日期：18/11
時間：21:30
地點：上環德輔道中323號西港城2樓大舞台
活動：手機發佈派對

**陳柏宇**
日期：19/11
時間：12:30
地點：大埔南運路9號新達廣場1樓展場
活動：恒生勁爆Music World「新城勁爆頒獎禮2011」開催大會

**Gin Lee**
日期：19/11
時間：12:30
地點：大埔南運路9號新達廣場1樓展場
活動：恒生勁爆Music World「新城勁爆頒獎禮2011」開催大會

**歐陽靖**
日期：19/11
時間：12:30
地點：大埔南運路9號新達廣場1樓展場
活動：恒生勁爆Music World「新城勁爆頒獎禮2011」開催大會

**鄭文正**
日期：19/11
時間：12:30
地點：大埔南運路9號新達廣場1樓展場
活動：恒生勁爆Music World「新城勁爆頒獎禮2011」開催大會

**林峯**
日期：20/11
時間：13:00
地點：紅磡置富都會商場7樓大堂
活動：置富Malls×Thomas & Friends聖誕夢幻啟動禮

**鄭欣宜**
日期：20/11
時間：15:00
地點：青衣城1樓夢幻島大堂
活動：聖誕特工訓練營開幕禮

**Text**_Hebe **Art**_Moni

**yes!! 星光延續 21周年音樂會**

〈yes!!〉一年一度嘅音樂會又舉行喇!〈yes!!〉創刊至今已經有21載,見證住大家嘅成長。為咗慶祝呢個咁盛大嘅日子,我哋將會舉行〈yes!!〉星光延續21周年音樂會,實行與眾同樂,回饋各大讀者多年嚟嘅鼎力支持!至於有邊位歌星會演出?我哋就先賣個關子,下期起將會陸續公佈㗎喇!

「〈yes!!〉星光延續21周年音樂會」詳情:

日期:2011年12月9日(星期五)

時間:晚上8:00

地點:香港理工大學賽馬會綜藝館

**索取門券方法:**

即日起電郵至gift@yes.com.hk,標題註明「索取〈yes!!〉星光延續21周年音樂會入場門券」,內容請列清楚個人姓名、身份證號碼、聯絡電話及一句祝賀〈yes!!〉21歲生日嘅字句,就可以得到音樂會入場門券㗎喇。

入場門券數量有限,先到先得,大家立刻行動喇!

全力支持:

First Cast Model Agency    ⋆legend

〈那些年，我們一起追的女孩。〉大收4千幾萬票房，為華語電影市場殺出一條新血路，唔少人都對電影市場再次充滿憧憬。而啱啱演完舞台劇〈時間之光〉嘅HotCha就好想挑戰吓大銀幕咁話，因為舞台劇令佢哋嘅戲癮大發，完咗舞台劇之後佢哋仲好鬼空虛，好想繼續演戲。除咗演戲之外，佢哋話戲院同時有好多難忘回憶嘅地方，Winkie仲大爆戲院係佢初戀嘅地方添，真係好「那些年」呀！

## HotCha 戲癮大發 恨上大銀幕

### 舞台劇空虛症

HotCha啱啱忙完舞台劇〈時間之光〉冇耐，佢哋兩個已經話好掛住公演嗰陣嘅情況，仲話患咗「空虛症」添，認真誇張！Crystal：「演舞台劇真係好易上癮㗎，我好想繼續演落去，因為同一大班人研究劇本，同時好似做緊另一個人同經歷多一個人生咁，所以好好玩。」而Winkie就話完咗Show之後好空虛：「其實演戲都係我其中一個興趣嚟㗎，演完舞台劇之後，好似Crystal咁講，真係會上癮㗎！完咗Show之後真係勁空虛囉，所以我都會去睇返劇中演員其他舞台劇嘅演出。」而Crystal就話好唔捨得劇中一班演員，因為佢哋都好Close同好有張力，所以佢哋耐唔耐都會約出嚟飲嘢吹吓！

Crystal同Winkie啱啱演完舞台劇〈時間之光〉，口碑唔錯。

## 恨演電影

當問到佢哋演完舞台劇之後，會唔會想挑戰吓拍電影咁，佢哋兩個即時爭住話好想，Crystal：「始於喺香港做歌手，多啲嘗試係好事，加上演完舞台劇之後戲癮大發，所以好想試吓拍電影。」而Winkie亦好同意Crystal嘅講法：「其實我之前都試過做電影客串嘅角色，都覺得感覺幾新鮮，如果有機會梗係會試吓拍電影喇！」咁佢哋自己最鍾意邊套電影呢？Crystal：「我會揀〈芝加哥〉，因為我本身好鍾意睇歌劇，加上佢拍得同原著好似，而且劇情好引入入勝，所以我會揀〈芝加哥〉。」而Winkie嘅選擇都幾出人意表：「我會揀〈富貴黃金屋〉系列嘅電影，因為呢個系列嘅電影搞笑得嚟又好有溫情，所以我細個同屋企人成日租呢套戲嘅錄影帶嚟睇，而且仲會招呼啲鄰居嚟睇，所以都好難忘。」

〈芝加哥〉係Crystal嘅「飛佛」。

而〈富貴黃金屋〉系列嘅電影就為Winkie帶嚟開心嘅童年回憶。

## 最想挑戰的電影角色

講到咁想拍戲，咁佢哋最想挑戰咩角色呢？Winkie：「我最想演嘅角色係貓女郎，因為可以拍動作片，而且又有感情線喎，一舉兩得，所以發揮嘅空間應該會幾大。」而Crystal就想挑戰吓張曼玉演過嘅角色：「我想演個角色叫阮玲玉，佢係一個50年代嘅演員，如果要演呢個角色嘅話應該幾複雜，因為要做一個雙重性格嘅演員，而佢最後仲要係自殺死，佢一生起伏都幾大，所以應該好有挑戰性。」

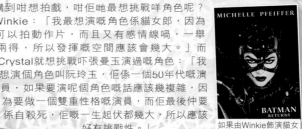

如果由Winkie飾演貓女郎該會幾有睇頭。

阮玲玉係張曼玉演過嘅經典角色，唔怪得Crystal想挑戰吓喇。

## 戲院「那些年」

相信唔少讀者喺戲院都有唔少難忘回憶，HotCha佢哋都唔例外，而Winkie仲大爆佢嘅初戀就喺戲院度發生。Winkie：「嗰陣應該大概中五到喇，咁嗰陣有個男仔約我睇〈忘不了〉，其實我都對佢有意思，所以我就應承咗同佢一齊睇戲。之後去到戲院嗰陣，我都諗吓佢會唔會拖我呢，但去到最後咩事都發生過，唔知係咪套戲嘅幾浪漫，所以我哋喺嗰日就一齊咗，而我都仲記得嗰套戲嘅故事情節。」而Crystal就話最難忘嘅經歷就係入戲院睇〈午夜凶鈴〉：「嗰次都算係我第一次睇鬼片，但我全程都係遮住對眼，所以去到最後都唔知套戲講咩。自此之後，我就知道自己唔啱睇鬼片。」一個就咁Sweet，一個就咁驚嚇，所以話戲院真係咩事都會發生。

位列恐怖片首位嘅〈午夜凶鈴〉令Crystal唔敢再睇鬼片。

Winkie就喺大讀佢初戀男友揀嗰戲，令佢哋嘅愛情萌芽。

# Mr. ✕ Kolor 除夕

## 史上最大型 Band Show

如果你係好玩得、鍾意癲、音樂發燒友，就一定唔可以錯過呢個Band Show！皆因呢個Band Show絕對係史無前例集合最多Band嘅除夕活動，會喺12月31日晚亞洲國際博覽會開騷，觀眾由9點開始就可以聽到香港唔同樂隊嘅歌，就到12點嘅時候，全部樂隊仲會上晒台同大家一齊倒數添，實行要全民狂歡開P玩返晚！

## 撻著．自己

如果要一個活動成功，第一件事就係要表演嘅歌手好投入，唔知Mr.同Kolor又有咩方法「撻著」自己，令當晚嘅表演更臻完美呢？Mr.：「其實我哋本身都好多謝主辦單位有呢個諗法，聯繫到咁多隊Band去搞呢個活動。我哋會喺個表演度好開心咁玩，唱一啲外國樂隊嘅歌，亦都會唱吓香港樂隊好似太極、Beyond嘅歌，用最輕鬆嘅心態去『玩』，咁先會最投入、開心，個Show先會好睇！」Kolor：「我哋表演嘅時候都會當係玩遊戲咁，因為我哋唔會特別去定位Band嘅風格，亦都唔會理啲歌夠唔夠商業，總之想玩咩就玩咩，咁先係最開心。」

2011年話咁快就過咗一大半，嚟緊仲有個幾月就到除夕，唔知大家諗到去邊度玩未呢？如果你年年都係約埋啲朋友逼喺時代廣場倒數，又或者喺周圍流連唔知去邊度好，橫掂都係逼，不如今年搞吓新意思，一齊去睇「狂熱搖滾除夕倒數演唱會2012」喇！當晚殿堂級前輩太極樂隊、Mr.、RubberBand、Kolor，仲有好多唔同嘅樂隊現身，實行要同大家開個狂歡Party兼一齊倒數！咁多隊Band輪住同Fans玩，到時實成功「撻著」現場氣氛！Mr.同Kolor都話要同大家力撐呢個Band Show，咁難得可以癲返晚，作為玩得之人嘅你唔係唔去吖嘛？

# 夜開P「撻著」

## 撻著‧對方

當晚Band同Band之間會有好多Crossover嘅機會，唔知Mr.同Kolor又會唔會同台演出呢？Mr.：「暫時未知住，不過就一定唔會全部樂隊一齊Jam歌，一嚟現場唔會有咁多設備，二嚟會變咗好似綜藝節目咁，Band同Band之間冇咗自己個風格。其實我哋都想同每一隊Band合作，好似Kolor咁，其實我哋兩隊Band私底下都熟，如果可以同台合作一定好有默契！」Kolor：「我哋覺得到時大兜亂咁玩都唔錯，到時一定要唱『紅色跑車』嘅類歌，仲可以唱埋Beyond嘅歌添，因為佢哋冇嚟吖嘛。」其實無論Mr.同Kolor同邊隊Band同台演出都好，大家咁有實力，到時唔怕冇好歌聽喇。

▲大家睇吓齊出4隊Band已經企滿個台，如果加多幾隊，場面應該幾壯觀。

▲睇到呢篇報導嘅你，仲唔快啲拉埋啲親戚朋友去撲飛睇騷？

## 撻著‧大眾

有時歌手喺台上自High都冇用，表演要好玩就一定要觀眾投入埋一份先得，Mr.：「其實我哋一啲都唔擔心觀眾嘅反應，因為我哋揀嘅音樂都係貼近大眾嘅，唔係指啲歌要商業，而係大家聽到歌詞都識會心微笑，觀眾有共鳴自然就會俾反應喇！同埋啲人成日都話出年末日，咁大家今年就唔好嘥時間出街Hea、去海傍倒數喇，一於嚟支持吓我哋喇，話唔定呢個係末日前最後一個Band嘅大匯演。」Kolor：「本身以Band做主題嘅活動同節目都唔多，今次咁難得有呢個機會，又有咁多隊Band，我哋相信入場嘅觀眾都會好興奮，加上我哋本身嘅音樂成日俾大家話似『發聲機器』，即係代表到大眾嘅心聲，所以完全唔怕大家唔High！」想知Mr. × Kolor嘅出品係咪必屬佳品，大家即去撲飛，到時去睇呢個Show咪一清二楚囉！

▲太極貴為殿堂級前輩，今次終於有機會可以「調教」吓呢班後輩喇。

▲RubberBand到時都會出席呢個演唱會，大家一定會聽出耳油！

Text_Hebe　Photo_Herman　Special Thanks: 通利琴行　Art_Gary

做藝人至棹忌就係俾人定型,當觀眾認定你係純情玉女派嘅時候,你就絕對唔可以俾人見到你當街當巷食煙,唔係嘅話玉女形象當堂冇晒。所以而家歌手時時刻刻都求變㗎,為咗出隻靚碟俾Fans聽吓,要出賣自己嘅經歷不突只,分分鐘仲要連原本把聲都變埋,實行盡力一搏,為搏得Fans一笑咋!有邊個真係會咁做?之唔係小肥囉,佢嚟緊會出嘅新碟〈黃昏音樂會〉籌備咗成2年。喺碟入面,除咗聽得出小肥把聲唔同咗之餘,就連佢嘅歌路都同之前有好大分別,今次佢仲自己親自作曲添,咁認真破格,Fans唔會唔支持啩?

# 小肥
# 破格出擊
# 玩變調

## 兩年籌備再回歸

今次小肥呢隻碟用咗差唔多2年時間籌備,唔知關唔關早前公司嘅人事變動事呢?小肥:「其實係因為我嘅關係,呢隻〈黃昏音樂會〉早喺兩年前出完〈Festival Traveler〉之後就已經有呢個構思。好多歌手都想下一隻碟比上一隻好,加上我係雙子座嘅性格,所以有好多諗頭,又想隻碟多啲唱作元素,同時又想喺隻碟加啲圖文並茂嘅散文,所以搵咗王貽興幫手寫,又搵咗新嘅監製,發覺好多嘢都需要左度右度。後來呢隻碟終於可以面世,就係因為中間我放咗唔少手,交咗俾佢哋負責,因為我唔想Fans等太耐吖嘛。」

小肥為咗呢隻新碟有多啲嘢俾大家睇,仲專登搵埋才子王貽興幫手添!

## 詩情畫意音樂會

只要睇吓小肥做音樂嘅過程，就知道佢份人幾咁認真。小肥：「今次隻碟嘅構思係嚟自澳門龍環葡韻定期舉辦嘅音樂會，嗰度有一大片紅樹林做背景，遊客喺日落嘅時候，一邊聽住好Soft嘅音樂，一邊享受呢一片咁舒服嘅環境，成個感覺都好輕鬆、好舒服，陳綺貞、野仔之前都有喺嗰度唱過歌，大家聽我隻碟都會發現啲歌好詩情畫意，好似置身喺音樂會現場咁。」小肥係澳門人，對呢個地方自然有情意結，所以如果平時嫌去澳門貴嘅朋友，不妨買佢隻碟聽吓，喺腦海入面去吓澳門都好吖。

## 變調成功襯新碟

為咗襯返充滿詩情畫意嘅新碟，小肥仲專登同監製夾過，決定轉一轉自己把聲，就連電台DJ都話唔認得小肥把聲，佢哋仲力讚呢把溫柔男聲好襯聽，到底當初係邊個話要變調先嘅呢？小肥：「其實係監製嘅意思，所以今次隻碟我冇再力歇聲嚟咁唱，而係放輕把聲、溫柔啲咁唱。錄『黃昏音樂會』嗰時，我一直諗住音樂會個環境，仲諗住陳綺貞嚟唱添，一嚟佢係我偶像，二嚟我覺得佢把聲好襯喺音樂會演唱，所以最初首歌嘅Demo都有啲佢嘅影子，後期加咗啲編曲就冇咁似喇。」

今次隻碟以澳門做主題，對小肥嚟講夠晒親切。

陳綺貞除咗係小肥偶像之外，亦係好多人心目中嘅女神！

## 創作靈感靠聽歌

今次小肥隻新碟有7首歌，當中有兩首歌係由佢親自作曲，睇嚟小肥為咗令大家有耳目一新嘅感覺，就連自己嘅才華都要曬出嚟！小肥：「我嗰兩首作品都係自己負責作曲，想配合返Soft啲嘅旋律，不過詞就唔填住，因為我覺得自己喺填詞方面未夠勁呀，唯有暫時搵火火同埋6號@RubberBand幫住手先。」咁小肥平時嘅作曲靈感係嚟自邊度呢？小肥：「可能因為我份人好樂觀，所以好少試過好慘、好傷嘅經歷。不過我會聽多啲歌、睇多啲戲，有時仲要周圍問人有咩歌好聽，因為自己有時好懶，如果由自己搵又會淨係揀返鍾返嗰類型嘅歌，咁到時係變相突破唔到原本個框框。」小肥今勻真係好搏喎，唔知可唔可以成功吸引一班新嘅Fans呢？

今次隻碟有6號撐場，證明佢兩個都好Friend喎！

本來小肥話有隻歌係寫俾古巨基，不過後尾發現唔夠歌用，所以就放返喺自己隻碟度。

Text_Hebe　Photo_Guy 註：部份為網絡圖片　Art_AK

# 《yes!!》 School Tour
# 野仔 黑Girl 辣爇全場

**台灣驚喜 同學興奮**

參與將軍澳區School Tour嘅歌手分別有東于哲、野仔、朱紫嬈、小龍鳳、鍾一憲&麥貝夷、岳薇、陳蕊蕊同埋李駿宇。對於同學仔嚟講最驚喜就係遠道由台灣而嚟撐場嘅黑Girl喇！當主持人Walker介紹佢哋出場嘅時候，啲尖叫聲即時蓋過咗Walker把聲，黑Girl嘅吸引力真係厲害呀！而同樣係組合嘅東于哲同埋鍾一憲&麥貝夷亦好受同學仔歡迎，前者帶勁歌熱舞，睇到同學仔O晒嘴；而後者就好親民，主動落台同同學握手，令到現場引起咗一輪混亂。另外小龍鳳亦都有又唱又跳演繹新歌，仲同同學仔玩遊戲，夠晒親民。而其他歌手，好似岳薇、陳蕊蕊同埋李駿宇都好落力演繹。去到最後野仔壓軸出場，仲大搞爛Gag，而呢一日嘅School Tour亦喺笑聲之中結束。

▲東于哲大跳勁舞，引嚟尖叫連場。

▲▲鍾一憲&麥貝夷表現親民，主動落台同同學仔握手。

▲李駿宇同岳薇好落台演唱。

▶陳蕊蕊同埋一班Dancers都以熱褲上陣，在場氣溫即時提升。

▲小龍鳳除咗跳舞唱歌之外，仲同同學仔玩遊戲。

▲朱紫嬈唱歌，同學聽得好投入呀。

# YES!!

## Endy Ken 尾聲掀高潮

又嚟到〈yes!!〉School Tour嘅時間喇！呢個星期〈yes!!〉就去咗將軍澳兩間中學用音樂同同學仔進行交流。今次〈yes!!〉更加請到由台灣而嚟嘅黑Girl擔任其中一間學校嘅表演嘉賓，同場嘅仲有野仔做壓軸。佢哋一出場，啲同學仔就已經忍唔住即時尖叫，野仔仲即場搞Gag大派笑彈。而另一場就有周國賢（Endy）同洪卓立（Ken）做壓軸嘉賓，為呢日嘅School Tour掀起高潮。

### 落力唱爆禁毒Show

呢個星期喺將軍澳第2場School Tour人腳依然咁鼎盛，參與演唱歌手分別有C AllStar、HotCha、Ken、鍾一憲＆麥貝夷、謝文雅、羽翹、韋雄、陳僖儀、Endy、小龍鳳同埋E記。今季〈yes!!〉School Tour嘅主題係禁毒，唔少歌手好似羽翹、陳僖儀、E記同謝文雅上台嘅時候都同同學仔分享咗唔少禁毒秘笈，令同學仔獲益良多。而HotCha喺獻唱嗰陣更加落力落台同同學仔握手，令到同學仔興奮度飆升。而C AllStar雖然只得2子上場，但依然好有叫座力。而Endy更加自彈自唱「14天」，同學當然拍爛手掌和應喇！至於壓軸出場嘅阿Ken一上台就已經引嚟陣陣尖叫聲，呢日嘅School Tour亦喺尖叫聲之中圓滿結束喇。

▲E記落力演出，有同學仔醒目講出佢所主持嘅電台節目。

▲謝文雅、韋雄、陳僖儀齊齊分享禁毒訊息。

◀HotCha唱緊歌嗰陣，同學仔自動波揮手。

◀鍾一憲＆麥貝夷同同學仔大玩遊戲。

▶小龍鳳呢場依然又唱又跳。

▲C AllStar雖然得返2子，但依然好受同學歡迎。

**Text_Vic　Photo_Herman　Art_wAi**

043

# 視帝視后跑馬仔
# 5/12揭盅

## 視帝爭奪三分天下

今年視帝嘅戰況就好似魏、蜀、吳三國時代咁,由鄭嘉穎、黎耀祥同林峯三分天下,佢哋3個都同樣有機會成為視帝,但其中以鄭嘉穎嘅呼聲最高。

### 1號 鄭嘉穎一翻生大狀

鄭嘉穎憑〈怒火街頭〉嘅破格演出,成為近年嘅代表作,亦被一眾「馬評家」一致睇好。嘉穎喺〈怒〉入面嘅演出生鬼抵死,甚至連屁股都露埋出嚟,睇到一班「馬迷」O晒嘴,亦都一洗佢近年出閘脫腳嘅頹況。加上佢一向都係樂小姐嘅愛將,喺高層投票方面都有著數喇,所以未開跑已經俾人睇高一線喇!

**劇集:**〈怒火街頭〉
**跑出指數:**★★★★★(5粒★為最高)

### 2號 黎耀祥一轉型法證

上年黎耀祥憑〈巾幗梟雄之義海豪情〉連續兩年成為視帝,今年力爭3連霸。今次黎耀祥喺〈法證先鋒III〉入面轉型飾演一個專業嘅法證人員,一眾「馬迷」仍然相當受落,亦令〈法III〉嘅平均收視一直保持喺30點以上。但係黎耀祥想3度登上視帝寶座都有唔少阻力,例如高層可能唔想過份集中喺一個演員身上,所以會支持其他人選;再者,〈法III〉出街之後都冇咩熱爆場面,所以祥仔喺呢度都可能會失啲分。

**劇集:**〈法證先鋒III〉
**跑出指數:**★★★★

### 3號 謝天華一Chok爆刑警

謝天華今年再演Laughing,挑戰視帝寶座。憑Laughing一角而躍升成為一班馬嘅謝天華,今次喺新劇〈潛行狙擊〉飾演Chok爆教官,繼續保持Laughing嗰種串串貢嘅態度,而同Madam Jo嘅一段情就更加睇到人眼濕濕,亦令〈潛行狙擊〉成為目前為止平均收視最高嘅劇集。播完呢套劇之後,TVB仲為Laughing再拍電影,所以話謝天華攞埋視帝都唔係冇可能。

**劇集:**〈潛行狙擊〉
**跑出指數:**★★★★

044

呢排興跑馬仔，特首疑似候選人梁振英同唐唐（唐英年）睇嚟仲有排鬥，但係同樣係城中熱話嘅視帝視后獎項花落誰家，就會喺12月5日三色台嘅頒獎禮揭盅！每逢臨近頒獎典禮，都有唔少小道消息話邊個為咗攞獎而續約，咁今年嘅戰況又點呢？〈yes!!〉率先為讀者拆解！

## 視后競爭空前激烈

今年嘅視后並唔係好似上幾年咁有一、兩個標青人選彈出，加上一姐余詩曼離巢，令戰況更加激烈。

### 4號 胡杏兒一失望皇后

今年對於胡杏兒嚟講都算係豐收嘅一年，尤其係喺〈怒火街頭〉入面飾演王思苦一角，完全將佢嘅囧樣形象一掃而空，但可惜呢個角色只能提名我最喜愛的電視女角色而唔係最佳女主角，反而〈萬凰之王〉入面皇后一角獲提名最佳女主角。唔少「馬評家」都大嘆可惜，因為皇后呢個角色嘅叫座力同迴響明顯唔及王思苦呢個角色咁大，亦令佢成為視后嘅機會大減。

**劇集：**〈萬凰之王〉
**跑出指數：★★★**

### 5號 陳法拉一短命Madam

視后候選人呼聲最高嘅應該係陳法拉喇。喺〈潛行狙擊〉入面飾演不得善終嘅Madam Jo拍住Laughing，終於令佢有機會提名最佳女主角。雖然佢喺劇中冇乜令人深刻嘅表現，但係勝在鉗住呢套係最佳收視嘅勢頭，加上有志雲大師背後支持，絕對有機會跑出首奪視后。

**劇集：**〈潛行狙擊〉
**跑出指數：★★★★**

### 6號 鍾嘉欣一喊爆Miss

Miss Cool俾陳豪背叛，喺門口喊爆嗰幕，俾一眾「馬迷」瘋狂重溫，成為今年電視劇入面嘅經典場面。雖然有數據支持，但就冇乜往績可言，因為以往鍾嘉欣都未攞過有份量嘅獎項，要一躍成為視后都有一定難度。

**劇集：**〈點解阿Sir係阿Sir〉
**跑出指數：★★★**

### 7號 徐子珊一黑底大狀

今年都好多產嘅徐子珊憑住〈潛行狙擊〉入面嘅姚可可（Paris）獲得提名最佳女主角。佢喺〈潛〉入面由一個大狀變成黑幫大嫂，表現都算幾有說服力。加上佢同跋Co一段若即若離嘅感情，仲有唔少錫錫同床上戲都令一眾「馬迷」睇得好開心。但係因為子珊產量多，可能會分薄咗啲票源，始終領獎禮唔係多勞多得，所以子珊喺呢方面比較輸蝕。

**劇集：**〈潛行狙擊〉
**跑出指數：★★★**

# Shocking Baby Chapter 9

# 陳妍希

俗語話千里馬都要遇到伯樂先得，而喺現實生活當中，每個人都好需要遇到佢嘅「伯樂」。好似〈那些年，我們一起追的女孩。〉嘅女主角陳妍希（Michelle）咁，佢天生一個美人胚子，6年間一直喺台灣影視圈載浮載沉，直至遇上九把刀呢位「伯樂」，令佢搖身一變成為男士心目中嘅「沈佳宜」。幾億嘅票房唔單只證明咗呢套戲有幾好睇，仲證明咗人人都有「那些年」，而最重要嘅係可以話俾所有人知：陳妍希絕對係一匹「千里馬」！

陳妍希

中文名：陳妍希
英文名：Michelle
出生日期：1983年5月31日
年齡：28歲
身高：161cm
體重：48kg
職業：演員
語言：國語、台語、英語

## 電視劇

2011年 〈記得・我們有約〉飾江沐雲
　　　 〈閃昏〉
　　　 〈珍愛林北〉飾林小霓
2010年 〈國民英雄〉飾羅珊珊（客串）
　　　 〈醉紅塵〉飾雷錦儀
2008年 〈不良笑花〉飾江蜜
　　　 〈這裡發現愛〉飾潘能賢
2007年 〈換換愛〉飾江小南

## 電影

2011年 〈愛的麵包塊〉飾曉萍
　　　 〈那些年，我們一起追的女孩。〉飾沈佳宜
　　　 〈初戀風暴〉飾莊凱恩
　　　 〈聽說〉飾林小朋

## 參與MV

2011年　光良「台北下著雨的星期天」MV女主角
2010年　LOLLIPOP F feat.陳妍希「攻心計」MV女主角
2009年　蔡旻佑「小乖乖」MV女主角
　　　　梁文音「哭過就好了」MV女主角

## 音樂

2011年　柯震東〈有話直說〉「漂流瓶」柯震東feat.陳妍希（演唱）
　　　　〈那些年，我們一起追的女孩。〉電影原聲帶「永遠不回頭」柯震東、陳妍希、郝劭文、
　　　　蔡昌憲、鄢勝宇、彎彎（演唱）
　　　　〈那些年，我們一起追的女孩。〉電影原聲帶「孩子氣」（演唱、填詞、作曲）
2010年　LOLLIPOP F〈四度空間〉「攻心計」LOLLIPOP F feat.陳妍希（演唱、填詞）

## 廣告

2011年　匯豐銀行8072
2009年　聽障奧運會
2008年　DHC玫瑰底妝
2007年　BOB指定駕駛
2006年　麥當勞板烤米香堡

# Steven@Boy'z
## 虔誠教徒冇樣睇

QQ idol

QQ

喺大家心目中，可能會覺得一個虔誠嘅基督徒就係打扮同講嘢都斯斯文文，夠安靜又要識安慰人，總之形象就要做到好似個社工咁先叫「標準」。不過咁，某程度上「人不可以貌相」係啱嘅，好似Boy'z嘅Steven咁，佢俾人嘅感覺成日跳跳紮、冇喀正經咁，同佢做完50問之後先知佢內心係咁善良，有魔法會幫人醫病，目標就係出福音唱片，仲無時無刻都諗住傳福音，真係好有心呀！所以話，教徒係冇樣睇㗎！

## 生活類

**Q1. 瞓覺之前會做啲乜？**
A1. 等瞓覺。

**Q2. 瞓覺嘅時候會著啲乜嘢衫？**
A2. 唔著。

**Q3. 平均嘅睡眠時間大約有幾耐？**
A3. 7個鐘。

**Q4. 瞓唔著嘅時候會做啲乜？**
A4. 睇電影。

**Q5. 傾電話傾得最耐嗰次有幾耐？**
A5. 6個鐘。

**Q6. 沖涼要沖幾耐？**
A6. 15分鐘。

**Q7. 沖涼嗰時最先洗乜嘢地方？**
A7. 手。

**Q8. 平時會校幾多個鬧鐘？**
A8. 4個。

**Q9. 放假嘅日子會瞓幾耐？**
A9. 瞓到自然醒為止。

**Q10. 有咩壞習慣？**
A10. 遲出門口，搞到遲到。

**Q11. 你嘅健康之道係乜？**
A11. 一定要做運動。

**Q12.** 最常做咩運動？
A12. 跑步。

**Q13.** 最近成日飲乜飲品？
A13. 水。

## 近況類

**Q14.** 最近發過乜嘢夢？
A14. 唔記得喇！

**Q15.** 最近一次喊係為咗乜嘢事？
A15. 為咗耶穌。

**Q16.** 最近一次嬲係為乜嘢事？
A16. 覺得自己做得唔好。

**Q17.** 最近買咗啲乜？
A17. 都唔記得喇！

**Q18.** 最近有乜目標？
A18. 開Boy'z嘅演唱會。

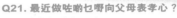

**Q19.** 最近有乜願望？
A19. 想出一隻個人福音唱片。

**Q20.** 最近有乜煩惱？
A20. 唔夠瞓。

**Q21.** 最近做咗啲乜嘢向父母表孝心？
A21. 煮餐飯俾佢哋食。

**Q22.** 最近睇咗邊套戲？
A22. 〈末日救未來〉。

**Q23.** 最近買咗邊隻CD？
A23. 唔記得咗。

**Q24.** 最鍾意邊套戲或者劇集？
A24. 最近冇睇。

**Q25.** 最近最鍾意邊個MV？
A25. Boy'z嘅「Ready To Go」MV好正呀！

## 喜好類

**Q26.** 鍾意食啲乜？
A26. 海帶。

**Q27.** 唔鍾意食啲乜？
A27. 紅豆。

**Q28.** 最想去邊個國家或者地方？
A28. 台灣，我一次都未去過。

**Q29.** 最鍾意咩卡通人物？
A29. SpongeBob。

**Q30.** 最鍾意咩圖案？
A30. 三角形。

**Q31.** 最鍾意咩牌子嘅服飾？
A31. 冇特定。

**Q32.** 最鍾意乜嘢飾物？
A32. 冇。

**Q33.** 最喜歡異性點樣打扮？
A33. 舒服就得。

**Q34.** 最鍾意邊位藝人？
A34. 劉心悠。

**Q35.** 最令你放鬆心情嘅活動係？
A35. 釣魚。

**Q36.** 最近袋入面嘅必需品係乜？
A36. iPhone叉電器。

**Q37.** 唱K嗰陣會唱乜歌？
A37. 乜歌都唱㗎。

**Q38.** 最鍾意香港邊個地方？
A38. 鯉魚門最入面嘅角落。

## 幻想類

**Q39.** 如果你有魔法，會用嚟做啲乜？
A39. 幫人醫病。

**Q40.** 如果有1億，你會用嚟做啲乜？
A40. 係囉，做咩好呀？

**Q41.** 如果要去無人島，你最想帶咩嘢去？
A41. 飛機。

**Q42.** 細個嗰時嘅理想職業係乜？
A42. 小丑。

**Q43.** 你嘅夢中情人要似邊個？
A43. 劉心悠。

**Q44.** 你嘅結婚對象必備咩條件？
A44. 愛我嘅家人就夠喇。

**Q45.** 你理想嘅屋企要點樣？
A45. 背山面海。

**Q46.** 將來想生幾多個小朋友？
A46. 最少2個，最好4個。

**Q47.** 想生仔先，定係生女先？
A47. 生女先。

**Q48.** 如果可以變成另一個性別，你會做啲乜？
A48. 入女廁。

**Q49.** 10年後想做啲乜？
A49. 做傳道人。

**Q50.** 如果聽日係世界末日，你會點做？
A50. 傳福音。

**Text**_QQ   **Photo**_Jeffery   註：部份為網路照片   **Art**_Ravi

# 韓國直擊！
# 銀赫 × Tiffany 劇中

唔少歌手同電視、電影演員事業發展穩定之後，問佢哋仲有咩類型工作想試，多數演員都會答想挑戰吓演出舞台劇，因為演舞台劇唔可以有甩漏，冇得NG再嚟過，好有挑戰性之餘，都係見證藝人有冇實力嘅機會。好似韓國近期都興起舞台劇熱，皆因有兩位當紅藝人首次踩入舞台劇界，佢哋就係少女時代嘅Tiffany同埋Super Junior（SJ）嘅銀赫喇！佢哋本身知名度咁高，必定會引起關注，所以主演嘅音樂劇都需要有返咁上吓出名先得，今次重演嘅著名音樂劇〈Fame〉就啱晒佢哋拍喇，因為呢套舞台劇同佢哋一樣咁有份量呀！

當年〈Fame〉電影成績同口碑都好好，所以後來亦有榮譽重拍。

## 百老匯暢銷音樂劇

對舞台劇有啲認識嘅觀眾對〈Fame〉必定唔會覺得陌生，呢套劇中文名係〈名揚四海〉，而喺香港就曾經譯做〈我要高飛〉。〈Fame〉係根據1980年上映嘅同名影片改編嘅百老匯音樂劇，以紐約市嘅表演藝術高中學生做故事內容，描述嚟自各個階層、擁有唔同家庭背景嘅學生學習戲劇、聲樂、舞蹈同樂器嘅過程，當中嘅刻劃充滿戲劇性，對學生嘅描寫非常豐富，呈現佢哋嘅夢想同愛。

呢套音樂劇係西區劇院最暢銷嘅作品，喺世界各地曾經有超過300次改編演出，可以話係國際知名嘅舞台劇，所以今次喺韓國上映，加上邀請咗唔少優秀嘅韓星演員參與演出，所以令人非常期待。

## 拍住上合演主角

除咗〈Fame〉本身受歡迎之外，今次喺韓國上映嘅另一個「看點」其實係少時同SJ都分別有成員參與演出，Tiffany同申儀靜合演Carmen Diaz一角，銀赫就會同金大賢一齊飾演Tyrone Jackson，而另外仲有GOD成員孫浩英同高恩星共同演出嘅角色Nick Piazza，至於天上智喜嘅Lina同Trax嘅正模都會有份演出。

### Carmen Diaz（Tiffany@少女時代、申儀靜飾）

Tiffany嘅角色Carmen係一個非常有自信而且驕傲嘅舞蹈學生，充滿吸引力但下定決心要為事業闖出名堂，亦相信自己必定做得到，絕對係一個對名譽非常著迷嘅女仔。最初同銀赫所飾演嘅Tyrone發展微妙嘅關係，可惜後來因為濫藥而死，冇辦法達成夢想。

### Tyrone Jackson（銀赫@Super Junior、金大賢飾）

銀赫飾演嘅Tyrone出身低微，但對Hip Hop舞蹈好有天份，佢將會同戲入面另一位跳芭蕾舞嘅女角色Iris發展一段愛恨交纏嘅戀情。

### Nick Piazza（孫浩英@GOD、高恩星飾）

雄心壯志、充滿熱情嘅演員，對演戲非常認真，同時暗戀一個叫Serena嘅女仔。

# 談情!?

## 組合成員舞台戰績

Tiffany同銀赫今次係第一次演舞台劇，不過佢哋嘅組合成員都分別有參演舞台劇嘅經驗，唔知係咪少時同SJ成員都想演藝事業更上一層樓，所以逐步撈過界，實行威到舞台界呢？

**金泰妍**
〈太陽之歌〉飾演：雨音薰　年份：2010年
**Jessica**
〈金髮尤物〉飾演：艾兒　年份：2009年

**Super Junior成員**

**藝聲**
〈洪吉童〉飾演：洪吉童　年份：2010
〈Spamalot火腿騎士〉飾演：Galahad　年份：2010
〈南漢山城〉飾演：鄭命壽　年份：2009
**圭賢**
〈三劍客〉飾演：達太安　年份：2010
**晟敏**
〈Jack the Ripper〉飾演：外科醫生Daniel　年份：2011
〈洪吉童〉飾演：洪吉童　年份：2010
〈Akilla〉飾演：部落祭司長的兒子　年份：2009

**Text_Seiki**　註：部份為網絡圖片　**Art_Moni**

做明星梗係想名利雙收，「名」行先過「利」，作為公眾人物，個名真係好重要，所以一定要省靚招牌，就算點威點叻，都要令大家服你先至得，就好似馬會都要做善事、巨星都要有禮貌咪咁解囉。韓國女團代表少女時代就深明呢個道理，佢哋人紅多騷出一啲都唔出奇，之不過開騷要開得有意義就唔係成日都可以，所以少時都爭取機會向大家展現佢哋充滿愛心嘅一面，等大家覺得鍾意佢哋係啱嘅。而少時仲趁今個月初舉行「2011農心愛分享演唱會」，連同其他韓國歌手同組合一齊出席表演，希望藉住一己之力，可以幫到有需要嘅貧困人士，真係愛心爆棚呀！

# 少女時代率領

## 藝人協力做善事

已經舉行過12年嘅「農心愛分享演唱會」喺今個月6號假韓國首爾奧林匹克公園體操競技場舉行，出席嘅歌星單位包括少女時代、Davichi、Brown Eyed Girls、T-ara、Orange Caramel、MBLAQ、INFINITE同埋金賢重等等。今次呢個演唱會係一個代表性嘅社會貢獻計劃，係用捐贈嘅辛辣麵同主辦單位提供嘅產品代替觀眾嘅入場費，目的就係幫貧困人士維持日常生活所需，非常有意義㗎！

## 少時粉紅熱舞坐鎮

唔知係咪做善事唔適宜太性感呢？當晚少時所著嘅衫係粉紅襯黑色，造型絕對冇賣弄性感，佢哋除咗好有台型之外，睇落仲有啲可愛呀！唔使問少時當然有落足力跳舞俾大家睇喇，雖然觀眾唔算好瘋狂，但係都掌聲不斷㗎！今次佢哋唱咗新歌「The Boys」，MV大家就成日可以睇到，但係少時現場演繹一定更加好睇，大家唯有等到下年1月14號少時嚟香港嗰陣先可以即場睇到佢哋表演。

▲MBLAQ一身黑色西裝，戴埋太陽眼鏡嘅成員更加Cool爆。

▲少時嘅舞姿幾時都係咁吸引，相信有佢哋坐鎮，當地人捐錢都會鬆手啲。

# 韓星愛心爆棚

## Brown Eyed Girls Chok樣演出

前幾日出咗發去日本參加「首爾東京Music Festival」嘅Brown Eyed Girls呢晚以黑配紅嘅型格服飾出場，有舞蹈員伴舞嘅BEG隊型好齊整，雖然佢哋唔同少女時代一樣咁好笑容，個樣依然都係咁Cool，但係佢哋都好落力演出，一啲都冇留力㗎！等觀眾唔會認為唔使買飛入場就睇唔到100分嘅表演。佢哋做善事都一樣咁認真，確實好抵讚呀！

◀Brown Eyed Girls呢隊女子組合都可以咁Chok，所以Chok唔一定係男星嘅專利㗎。

## B1A4歌衫夠搶鏡

此外，當晚仲有韓國「90後」新晉男子組合B1A4，佢哋個個都咁後生，就連造型同埋表演都咁青春活潑！佢哋著住螢光綠色歌衫跳舞，配合現場嘅燈光效果，睇落非常搶眼，加上佢哋個個都展露出陽光笑容，表演得開心之餘，觀眾都睇得好輕鬆㗎！今次嘅活動係幫貧苦人士，希望呢班貧苦人士睇完B1A4嘅演出之後，都可以微笑一下喇！

▲今年至出道嘅B1A4喺今次演唱會嘅造型非常可愛，好配合佢哋嘅形象。

▲INFINITE近日推出首張日文單曲喺日本反應非常好，不過佢哋亦冇唔記得韓國嘅觀眾，當晚亦有出席「農心愛分享演唱會」。

▲當晚可愛嘅唔淨只B1A4，女子組合亦有T-ara做代表，加上佢哋一身復古裝，全場即時蔓延歡樂氣氛呀！

Text_Seiki
Art_Gary

中日韓台

# 日本速遞！
# 2NE1、太陽@BIGBANG踩場
# 「Girls Award 2011」刮起韓流！

日本著名嘅音樂花生騷「Girls Award 2011」就喺日前舉行咗，因為呢次主要係介紹秋日嘅服飾，所以氣氛一定唔及夏季嗰陣咁熾熱喇。好彩大會喺搵嘉賓方面落足心思，邀請到韓國女子天團2NE1同BIGBANG嘅成員助陣，即時令現場溫度上升咗唔少，場館入面仲刮起一陣韓流。2NE1一嚟就大唱大跳咗3首歌，而BIGBANG嘅太陽當然唔俾2NE1威晒，同樣施展渾身解數，搞到在場嘅Fans暈得一陣陣。

## 2NE1 唱爆「Girls Award 2011」

當日「Girls Award 2011」一到人氣組合2NE1出場嗰陣，大銀幕即時打出2NE1嘅字眼出嚟，跟住全場黑咗一陣，右耐就有激光射出嚟，跟住2NE1就出場喇。佢哋先邊跳邊唱出大熱歌曲「I Am The Best」，表演得非常投入，隊長CL更加係Fing到頭都甩咁滯，佢哋咁投入演出，自然引起Fans嘅尖叫聲喇。跟住佢哋就唱出一首節奏比較慢嘅歌「It Hurts」，雖然冇勁歌熱舞，但Fans依然好冧，間唔中仲大叫2NE1成員個名添！去到最後，2NE1由隊長帶領去到台前唱出快歌「Go Away」，近距離接近Fans，跳到一半佢哋仲叫Fans一齊揮手，同時亦都掀起咗當日嘅高潮。

隊長CL帶隊踩場。

Minzy又唱又跳相當落力。

## Dara萬人慶生日

「Girls Award 2011」喺當地時間11月12日舉行，適逢呢一日係2NE1成員Dara嘅生日，所以佢班隊友就決定喺台上面同佢慶祝生日。當唱完最後一首歌「Go Away」之後，隊長CL就話有個驚喜要俾Dara，仲大聲祝佢生日快樂。唔單只咁，2NE1其他隊員連同在場嘅Fans大合唱咗首生日歌俾Dara聽添，之後仲推個4層高嘅生日蛋糕送俾Dara。Dara個樣又冧又驚喜咁，仲話好多謝2NE1其他隊員同在場嘅Fans俾咗一個好難忘嘅生日佢。

朴春帶頭走到台前，態度親民。

Fans不停叫壽星女Dara個名。

2NE1為Dara慶祝生日，現場嘅Fans仲唱埋生日歌俾佢聽。

## 太陽@BIGBANG Chok爆登場嘴女

另一個嘉賓就係太陽@BIGBANG，佢今次喺「Girls Award 2011」唱咗成4首歌。佢一出場就戴住副黑超，仲Chok爆個樣唱「Where U At？」同「I'll Be There」，去到Music Break嗰陣，佢仲原地轉咗成7、8個圈，大騷舞技。唱完兩首歌之後，太陽緊接唱出「I Need A Girl」，顧名思義，成首歌就係講一個寂寞嘅男仔好渴望有女朋友嘅心情，而太陽亦都安排咗幾個火辣辣嘅女Dancers伴舞，唱歌期間仲同女Dancers做出一啲意識幾大膽嘅動作，好似一齊郁吓身，跳吓貼身舞咁，最後女Dancers仲嘴咗落太陽度，搞到在場嘅女Fans不停尖叫。

## 「Superstar」High翻全場

唱到最後一首歌，太陽就唱出「Superstar」，佢唱之前仲做咗幾個前空翻，令在場嘅Fans High爆。之後佢同差唔多10個Dancers大跳勁舞。而差唔多唱完嘅時候，佢亦都好親民咁行過原本俾Model行嘅天橋，同在場Fans嚟個超近距離接觸，班Fans見佢咁識做，自然叫都叫得落力啲喇！

跳到最後，女Dancers仲嘴咗落太陽度。

太陽同女Dancers大跳熱舞。

太陽喺唱壓軸歌「Superstar」之前大打幾個空翻。

**Text_Vic  Art_kIT**

057

# Sexy Zone 初出茅廬變棟樑

古語有云:「寧欺白鬚公,莫欺少年窮」,意思即係叫人唔好睇小啲後生仔,話晒佢哋有返咁上吓青春,學嘢又快,真係前途無可限量㗎!好似喺日本新鮮出爐嘅樂壇新晉少男組合Sexy Zone咁,呢頭啱啱先出道,嗰頭就推出第1隻碟喇,真係快手到冇人有。而且Sexy Zone 5子密密出席活動,見吓Fans之餘,又成日踩前輩場唱新歌做宣傳雖然佢哋年紀輕輕,但睇過佢哋現場表演嘅前輩都對5子讚不絕口,仲猛話佢哋有潛質接師兄嵐、Kis-My-Ft2嘅棒,做樂壇新星添!查實佢哋個個都係初出茅廬嘅美少年,咁快俾人當佢哋係未來歌壇棟樑會唔會好大壓力呢?

◀5子又青春又可愛,難怪一出道就吸引唔少Fans支持喇!

▶Kis-My-Ft2初出道嘅時候有唔少負面傳聞,唔知佢哋又點睇Sexy Zone呢幾位小師弟呢?

## 外型 清新加晒分

Sexy Zone係Johnny's事務所今年推出嘅第2隊組合,前輩Kis-My-Ft2出道之前有少負面新聞傳出,好多人都質疑佢哋嘅能力同埋歌唱技巧;Sexy Zone對比起前輩Kis-My-Ft2更年輕,前者嘅平均年齡得14.2歲,出道之前都有人批評組合名唔應該用「Sexy Zone」,直至佢哋正式出道之後,因為5子外型清新、帥氣,直接為呢隊組合加咗唔少分呀,喺鬥青春呢一部份,前輩Kis-My-Ft2都要舉白旗投降喇!

## 省靚招牌出單曲

查實Sexy Zone腳頭真係幾好喋，皆因佢哋出道冇耐就已經吸納咗一班少女Fans，而早排單曲「Sexy Zone」喺電視台正式面世嗰時，仲喺網絡引起唔少網友討論，例如讚佢哋5子「超乎想像地閃亮」、「手執紅色玫瑰，服裝十足王子一樣」，仲話好耐冇見過Johnny's事務所入面有咁清新帥氣嘅組合，仲話Johnny's終於都回歸王道喇！連Johnny's事務所所長喜多川先生都忍唔住大讚5子有實力同有睇頭，仲話Sexy Zone係事務所而家力捧嘅對象喎，睇嚟Sexy Zone 5子都有排忙喇！

▲Sexy Zone喺電視節目度唱同名主打歌，好多Fans都俾佢哋呢個王子Look吸引住！

## 宣傳上位靠排球

而外界睇好Sexy Zone會紅，除咗因為佢哋外型討好、形象清新之外，另一個主要原因係佢哋有份唱今年「世界盃排球賽」主題曲。大家千祈唔好睇小呢一首歌呀，皆因Johnny's咁多年嚟，凡係力捧嘅男新人組合都會先喺「世界盃排球賽」亮相，然後先至正式出道，而每一年唱嘅「世界盃排球賽」主題曲都會爆紅，呢個係不爭嘅事實，好似V6、嵐、NewS、Hey! Say! Jump咁，都係因為唱主題曲而開始爆紅喋！今次Sexy Zone唱嘅同名主題曲日日都喺會場熱播，比賽間場嘅時候仲會見到佢哋個MV，今勻Sexy Zone仲唔係靠排球上位？

▲▲Hey! Say! Jump同NewS都係因為唱「世界盃排球賽」主題曲而爆紅，真係好橋啵。

▲5子上節目嗰時反應都幾快，夠晒醒目，果然青春大晒呀！

## 狂出鏡宣傳新碟

Sexy Zone嘅新碟〈Sexy Zone〉已經喺今個月16號推出咗，碟入面除咗有「世界盃排球賽」主題曲「Sexy Zone」之外，仲有另一首歌「With You」。雖然全碟得兩首歌，但係就有4個限定版同1個普通版任君選擇！為咗配合新碟宣傳，5子早前特登喺朝日電視台嘅〈Music Station〉同埋〈Hey！Hey！Hey！〉亮相，實行要力谷新碟！佢哋話因為呢隻碟係5子初出茅廬嘅作品，所以想盡量顯露佢哋陽光、帥氣嘅感覺俾大家睇，大家要密切留意呀！Johnny's事務所所長喜多川先生仲話諗住以Michael Jackson嘅風格嚟幫佢哋排舞，遲啲話唔埋可以見識到5子Moon Walk喎，喜多川先生咁認真，加上外界又對5子讚不絕口，睇嚟Sexy Zone今次都係眾望所歸，有得留低喇！

▲Sexy Zone為宣傳新碟，5子頻頻接受雜誌訪問，不時都見到佢哋個靚樣。

中日韓台

# MP 魔幻力量 變騎呢樂隊?

台灣樂隊Magic Power魔幻力量（MP）早前推出第2隻專輯〈不按牌理出牌〉，8月喺台灣開咗首個大型演唱會，唔知係唱咗偶像劇〈醉後決定愛上你〉主題曲令佢哋人氣爆燈，定係MP本身已經好有實力，總之佢哋嘅工作就排到密密麻麻喇！氣勢如虹嘅MP前排去到加拿大演唱，前幾日就嚟咗香港宣傳新碟，之後又趕住飛去新加坡工作，可謂馬不停蹄呀。今期〈yes!!〉專程同MP做專訪，等6子同大家分享佢哋最「不按牌理出牌」嘅生活喇！

## 新碟拒循規蹈矩

MP嘅新碟〈不按牌理出牌〉，照字面解即係話玩遊戲嗰陣唔跟規則，聽落呢個構思都係相當之有趣，MP：「『不按牌理出牌』的意思是不用按照規矩去做一件事情，就像我們做的音樂可以沒有主線，有什麼靈感、想要怎樣的曲風和元素就直接把它加進專輯裡，希望大家在聽完這張專輯之後，在每首歌都可以找到不同心情，發現不一樣的東西。」咁又係，樂隊唔使為出碟諗到頭都大晒，要特登個主題出嚟，隨心而行可能會有更特別嘅效果喫！

啱啱來港宣傳新碟嘅MP透露12月頭會再嚟香港開騷。

MP同師姐丁噹早前一齊去加拿大演出，相處好融洽。

## 公認主音最騎呢

當問到MP隊員覺得隊入面邊個嘅性格係最「不按牌理出牌」嘅時候，佢哋都一致認為係主音廷廷，阿翔：「廷廷是我們隊中的創作靈魂，常常會有些不按牌理和比較詭異的主意，就像大家在做訪問時，他就戴著墨鏡坐在旁邊，要讓人家有種看不到他的感覺，我們不會去問他為什麼，因為他就是『不按牌理出牌』的人。」主音廷廷俾成員圍攻，話好難可以摸清佢嘅生活習慣，不如俾個機會廷廷平反喇，廷廷：「沒想到自己22歲加入MP，發了片之後就要開始進入一個長久的黑暗期，從此以後就要戴著墨鏡過生活，因為這是我的造型，好讓大家記著。」

MP擔任過任賢齊演唱會嘅樂手，仲一齊合照留念添！

主唱嘎嘎

Bass手凱開

結他手雷堡

### 嘎嘎唔著衫出街？

每個人都做過一件好爆嘅事，而MP咁多位成員都唔例外，真係名副其實「不按牌理出牌」，好似主音嘎嘎咁，竟然試過唔著衫出街買嘢，嘎嘎：「有一次小斟了數杯，就在想為什麼人要穿衣服，於是就把它脫掉了，之後走到便利店買飲料，然後覺得有點冷，所以又回去穿衣服了。」結他手雷堡都好奇怪，竟然鍾意整爛嘢，雷堡：「我最『不按牌理出牌』的事是常常想破壞東西，像把門拆掉或是把牆壁打一個洞。」有新奇嘅諗法係好事，但連門都想拆，大家就唔好學喇，因為團長凱開俾咗個建議大家，凱開：「如果偶爾想『不按牌理出牌』，可以走別的路線或是點一個平常不會點的餐來吃，生活要有點不一樣才好。」

鼓手阿翔

DJ鼓鼓

### 組成MP好出奇

大家可能覺得夾Band嘅人由細到大嘅志願始終如一，但原來組成MP對幾個成員嚟講都係一件奇事嚟㗎，DJ鼓鼓：「從前的志願是成為非常厲害的鼓手，後來因緣際會下跟好朋友組了這個樂團，然後竟然當了DJ，現在想起來真的很有意思，對我人生也有很大的轉變。」呢個時候，鼓手阿翔就話為咗追求夢想，就算幾唔啱「規矩」都係值得，阿翔：「我家是比較嚴格的家庭，就是長大就要出國唸書，然後爸爸媽媽會幫你安排一條路那樣。我說的是不一定要叛逆，但要知道自己內心最想要什麼，勇敢去追夢，追自己最想做的事情。」

主唱廷廷

MP早前拍攝「如果明天世界末日」嘅MV，請嚟小藤井Lena做女主角。

Text_Seiki Photo_Herman
Art_AK
註：部份為網絡圖片

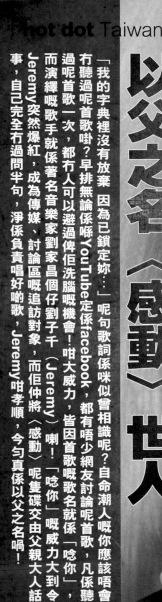

# 劉子千

## 以父之名〈感動〉世人

「我的字典裡沒有放棄 因為已鎖定妳…」呢句歌詞係咪似曾相識呢？自命潮人嘅你應該唔會冇聽過呢首歌啩？早排無論係喺YouTube定facebook，都有唔少網友討論呢首歌，凡係聽過呢首歌一次，都冇人可以避過俾佢洗腦嘅機會！咁大威力，皆因首歌嘅歌名就係「唸你」，而演繹嘅歌手就係著名音樂家劉家昌個仔劉子千（Jeremy）喇！「唸你」嘅威力大到令Jeremy突然爆紅，成為傳媒、討論區嘅追訪對象，而佢仲將〈感動〉呢隻碟交由父親大人話事，自己完全冇過問半句，淨係負責唱好啲歌，Jeremy咁孝順，今勻真係以父之名喇！

## 處男碟勁度不足

「唸你」一播出，無論喺網上、街上都即時熱播，差唔多係人都識唱返幾句，間接造就咗「紅歌又紅人」呢個現象。不過大家唔好以為「唸你」係Jeremy嘅第1首歌，其實佢早喺09年12月已經發行咗第1隻碟〈Mr. Why〉。呢隻碟入面有快、慢、抒情同電子音樂嘅歌，可惜呢類型嘅碟喺台灣實在太多，所以當時嘅銷量麻麻；Jeremy：「我第1張專輯也有支持我的人，我一直相信不同時候、不同心情，會聽不同的音樂，因為音樂是很純粹的東西，只需要欣賞，不需要比較。」

有好多人都係因為聽咗「唸你」，先搵返Jeremy第1隻碟。

## 不經意的〈感動〉

第1隻碟反應麻麻，Jeremy話本來都冇諗過會出第2隻碟，後尾爆紅嘅「唸你」更加係1 Take過錄完嘅作品，真係幾誤打誤撞喎！Jeremy：「其實最初是我跟父親在錄音室玩而已，根本沒有想過出唱片，而父親要我唱『唸你』之前，他曾給我示範過，然後叫我拋下所有裝飾音、技巧、感情，只用最直接的方式唱出來，然後唱了一次就錄完這首歌了。」之後父親大人索性將首歌推出市面，然後順勢錄埋其他歌，〈感動〉就係喺咁不經意嘅情況之下誕生喇！

## 抨擊惡搞小意思

當「唸你」一出街嘅時候，有唔少網民抨擊Jeremy唔識唱歌，甚至創作咗啲惡搞歌詞！係就係令到Jeremy一夜成名，但係新聞就以負面比較多，甚至有人認為劉家昌先生係專登用呢個方法幫個仔提高知名度。Jeremy：「其實我知道有很多批評、惡搞，但是這樣反而令我更感激那些支持我的朋友。只要世界上有一個喜歡聽我音樂的人，我也會心存感激，繼續唱下去。」Jeremy咁識得以德報怨，如果唔講，真係會以為佢係耶穌嘅朋友呀。

「唸你」嘅MV俾網友狠批騎呢，女主角鬼鬼（吳映潔）仲因為咁而紅埋一份。

有網友仲將首歌改為「唐三藏版唸你」添，真係搞鬼。

連王祖藍都喺電視節目將「唸你」改編為「Daddy」呀！

## 碟由父親自操刀

唔只「唸你」呢首歌，就連〈感動〉入面其他歌都有好多網友討論，姑勿論佢哋係出於好奇定係惡搞，總之都間接令好多人認識到Jeremy嘅音樂，而幕後大功臣自然非父親大人莫屬喇，皆因成隻碟由歌曲創作、監製都係由劉家昌先生一腳踢，就連MV導演都做埋添！Jeremy：「〈感動〉裡面的每一首歌，我也很欣賞、很滿意。簡單來說，我是很滿意父親，他把一個孩子帶大並不容易，而且他還給了我很多音樂上的知識，我永遠以他為榮。」

Jeremy因為一首「唸你」，成功唸到上大台接受訪問。

父親大人劉家昌係Jeremy嘅偶像，亦係佢最尊敬嘅人。

## 父子相處各有計

父親嘅音樂造詣咁高，Jeremy嘅壓大咪好大？Jeremy：「壓力當然是有的，但有時候我會想，如果父親不是音樂人，是不是會比較好，因為做音樂的過程是沒有壓力的，我常常覺得過程開心就好了。從小到大，父親都不擅於用言語跟我溝通，他只會做一個榜樣，因為他希望除掉言語，我也能看得懂他做的事。所以出專輯、拍MV的時候，我沒有問他為甚麼要鑽木取火、為什麼旁邊有人跳舞，因為這是我作為兒子尊重父親的一種方法。所以我不介意任何惡搞，因為這是我唱給父親聽的，只要他開心就好了。」Jeremy咁孝順，今次隻碟果然係以父之名，叫〈感動〉真係夠晒貼切。

**Text**_Hebe　**Photo**_Herman　註：部份為網絡相片　**Art**_Ravi

中日韓台

# 胡定欣

## 戲如人生

11月又到三色台一年一度嘅台慶喇！台慶劇亦都已經紛紛出爐，有啲仲已經播咗一段時間添，其中台慶劇《法證先鋒III》嘅平均收視更加超過30點，成績非常唔錯呀。而喺《法證III》同《萬凰之王》都有好重戲份嘅胡定欣就話特別鍾意Eva呢個大狀角色，因為係佢第一次演啲咁成熟嘅角色，而且呢個角色仲為佢得到「最佳女配角」嘅提名添！另外，定欣仲話演《法證III》嘅大狀同《萬凰》嘅靜妃都令佢思考到唔同嘅人生問題，真係「戲如人生，人生如戲」喇。

### 胡定欣看「周大狀」

胡定欣喺《法證III》再同黎耀祥合作，今次喺劇入面終於可以同祥哥做對有名有實嘅夫妻，佢哋仲有個8歲嘅女，咁定欣又會點睇呢個角色呢？

### 「演過最成熟嘅角色」

今次喺《法證III》入面定欣飾演黎耀祥個老婆Eva，同時Eva亦都係一個大狀，定欣就話未試過演啲咁成熟同嚴肅嘅角色：「喺《法證III》終於同祥哥做到有名有實嘅夫妻，而且我哋仲有一個8歲大嘅女，所以呢個係我從演以嚟最成熟嘅角色。其實我並唔介意做一個8歲囡囡嘅媽咪，反而我著重係點樣說服觀眾我係一個8歲囡囡嘅媽咪，因為我可能喺觀眾眼中比較細個，所以我放咗好多時間研究點演好呢個角色。」

### 「真係幾有老公嘅感覺」

今次定欣喺劇入面個老公係祥哥，定欣就話祥哥好幫到佢入戲：「今次係講一種夫妻之間嘅責任，加上祥哥戲外已經結咗婚同有自己嘅小朋友，所以佢比我更了解夫妻之間嘅感覺，所以演起嚟佢真係幾有老公嘅感覺喫。之後拍拍吓，我都開始掌握到嗰種感覺。」

喺《巾幗梟雄》定欣同柴九嗰一對有名無實嘅夫妻。

### 胡定欣看「靜妃」

做完大狀，胡定欣就喺〈萬凰之王〉入面飾演一個由宮女變成妃子嘅「奮鬥史」，心路歷程同起伏都好大，唔知定欣又會點演繹呢？

#### 「勝在夠狠」

定欣話佢飾演呢個角色嘅時候最緊要狠：「其實初初我只係一個宮女，喺杏兒同宣萱之間做線人。佢有時做壞事都會過唔到自己良心，所以都會唔聽佢哋嘅命令，不過之後就會俾佢哋折磨。好似有場戲，杏兒楬我同隻貓喺同一個袋入面，之後就叫人打隻貓，搞到隻貓掹到我傷晒，所以最後我為咗自保要做妃子。我勾引皇上嘅技量其實唔高明，但係勝在我夠狠，甚至連殺人都唔理。」

#### 「慘淡收場」

咁最終靜妃會唔會得到好嘅收場呢？定欣就率先大爆劇情：「因為我會身懷龍種，所以就惹嚟宣萱嘅妒忌，最後會慘淡收場。其實我最後會從良，但係從良之後右耐都係換嚟不得善終嘅結局。」

喺〈萬凰之王〉入面，定欣所演嘅靜妃最後不得善終。

### 胡定欣看「胡定欣」

定欣喺兩套劇入面嘅角色同性格都有唔同，定欣喺分析角色嗰陣，都反思咗好多關於人生嘅問題。

#### 「宮女好過妃子」

如果定欣喺古代出生，佢會揀做妃子定係宮女呢？定欣：「梗係做宮女好過做妃子喇，做宮女到25歲就拿拿聲出宮嫁人吖嘛！我覺得做妃子成日都要爭寵好劫，加上後宮有咁多佳麗，就算俾你爭到一時，之後又要諗計點樣爭贏其他妃子，所以真係幾煩㗎，加上我覺得自己唔夠奸，最後只會係失敗者，所以都係做宮女，簡簡單單比較啱我多啲。」

#### 「唔會學Eva咁」

妃子就唔做啫，咁你會唔會好似Eva咁，為咗事業而拋低自己嘅家庭呢？定欣：「我都有問過自己呢個問題，我應該唔會好似Eva咁好勝，雖然工作係好重要，但係如果我結咗婚再加上我有個8歲嘅囡囡，我都會以家庭為重，萬事都會以個女做出發點，有咩事唔啱咪試吓傾返佢，一定唔會學Eva咁為咗事業而離婚。」咁都啱嘅，始終婚姻先係女性畢生嘅事業嘛！

〈舞動奇蹟〉絕對係定欣演藝生涯嘅一個轉捩點。

定欣就話短頭髮最啱佢爽直嘅性格。

Text_Vic　Photo_Guy　Hair_Matt Chin@Xenter
Make-up_Jessica Chan　Art_kIT

# 台慶劇〈天與地〉
# 林保怡　黃德斌
# 各懷鬼胎鬥戲

播完〈法證先鋒III〉之後，會緊接首播另一套台慶劇〈天與地〉。呢套新劇嘅演員個個都係好戲之人，飾演嘅角色梗係唔係表面咁簡單，而係演繹一啲具層次嘅角色。其實唔簡單嘅唔只係演員，劇情都相當之精彩，大家單睇劇名好似好模稜兩可，唔知佢哋咩意思，其實大家可以諗吓「一念天堂，一念地獄」呢句說話，人面對住某啲處境，善與惡、正與邪都係一念之差，好多時是非黑白唔係講到咁分明，咁你明未？

## ★ 故事大綱

電台DJ葉梓恩（佘詩曼飾）意外撞返細個嗰時一齊夾Band嘅好朋友劉俊雄（林保怡飾）、宋以朗（陳豪飾）同鄭振軒（黃德斌飾），呢次見返面唔單只令大家回憶返18年前嘅開心青蔥歲月，仲勾起咗佢哋咁多年嚟收埋喺心度嘅沉痛回憶。梓恩對呢3位朋友有救返當年登山嗰陣遇險嘅男友耿耿於懷，仲由嗰時開始有陰影，感情生活永遠都維持得唔耐。而3個男人都唔好得去邊，喺現實生活掙扎求存，每個人都有心結未解開，最後同樣捲入複雜嘅感情漩渦，只可以等重生嘅一日。

## ★ 金牌監製 打造經典

呢套劇嘅監製戚其義來頭都唔惹少，唔少收視高企嘅劇集，例如〈金枝慾孽〉、〈火舞黃沙〉、〈珠光寶氣〉都係出自佢手，以往佢御用嘅演員班底都係大家熟悉而且專業嘅人選，今次〈天與地〉有份參與嘅主要演員都係曾經合作過嘅，好似有〈火舞黃沙〉嘅林保怡、陳豪、佘詩曼、邵美琪同埋黃德斌、同埋〈珠光寶氣〉嘅朱慧敏同埋已經離世嘅陳鴻烈咁，監製細心挑選同打造啱佢哋演嘅角色，今次應該可以再創佳績。

# 陳豪

# 佘詩曼

## ★各奔前程 心有鬱結

### 劉俊雄✕犧牲

劉俊雄（林保怡飾）身為維護工人權益會嘅總幹事，成日幫工友爭取權益，就算同主席意見不合，但到最後佢都會接受主席嘅意見。俊雄為咗工人嘅權益默默耕耘，例如好努力咁幫工友向醬油廠追返啲人工，但風頭往往俾議員搶咗，雖然好多同事戥佢唔抵，但係佢只係想幫人，所以唔係太計較。佢表面好似好成熟穩重，但實際係想用善良掩飾自己。佢俾人嫌份工方前途，同老婆之間有第三者出現之外，其實心入面都有個收埋咗10幾年嘅鬱結。

### 鄭振軒✕念舊

曾經係精算師嘅鄭振軒（黃德斌飾）因為患有視網膜遺傳病，同佢老婆楊雪薇（湯盈盈飾）成日擔心一對仔女會遺傳呢個病。撞返18年前一齊夾Band嘅好朋友之後，振軒主動提出希望大家重拾昔日嘅朋友誼，仲想拉佢哋去以前成日去嘅酒吧聚舊。佢去電台搵梓恩（佘詩曼飾）一齊出嚟聚舊，但係佢梓恩拒絕，之後佢再去搵俊雄（林保怡飾），但俊雄同樣拒絕出嚟聚舊，但係佢非常堅持，喺以朗（陳豪飾）打拳減壓嗰陣，同以朗講希望大家可以做返好朋友。雖然個個都唔肯出嚟聚舊，但係其實唔係佢哋幾個感情唔好，而係咁多年嚟大家都有心結未解開啫。

### 葉梓恩✕怨恨

葉梓恩（佘詩曼飾）係電台DJ，喺同老公結婚3週年嘅晚宴度接咗情人電話之後，就離席同對方見面，但事後竟然兩個都唔揀，同情人分手之後仲同老公離埋婚，真係唔知話佢任性定清醒好。梓恩後生嗰陣嘅男朋友家明有次同幾位好朋友攀山，點知遇到意外死咗。梓恩一直怪振軒、俊雄同以朗當年冇救返家明，估唔到件事隔咗咁耐，見返面先知道，原來4個人鬱咗個心結10幾年。

### 宋以朗✕自私

宋以朗（陳豪飾）後生嗰時同幾位好朋友夾Band，佢只係鍾意玩音樂，唔奢求其他嘢，但經過咗咁多年之後，佢嘅性格都變咗咁少。佢唔單只放棄咗玩音樂，仲覺得每個人都要自私啲先可以喺社會生存，而佢覺得錢亦好重要。做證券經紀嘅佢時時想賺多啲錢而不擇手段，同女朋友翁卓桐（邵美琪飾）結婚都係為咗對方嘅錢，就算對方嘅家姐睇唔起佢都唔理咁多。以朗睇返10幾年嚟變到咁自私嘅錢，只係靠打拳來發洩，其實佢知道自己曾經做錯事，唔知自己仲返唔返到轉頭。

播出日期：11月21日起（逢星期一至五）
播出時間：晚上9時半
播出頻道：翡翠台、高清翡翠台

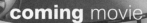

有唔少華人演員都話想進軍荷里活，但係陳奕迅（Eason）就反其道而行，接拍咗套講英文對白嘅港產片〈贖命〉，仲要同外國演員Leslie-Anne Huff合作，好彩Eason浸過鹹水，所以用英文講對白同傾偈對佢嚟講都冇乜難度。而〈贖命〉嘅內容係探討前世今生，喺戲入面，Eason同Leslie-Anne Huff會有心靈上嘅交流，佢哋會一齊探討「來世」嘅歷險旅程，仲差啲搞到Eason俾靈體索命，講英文都會撞鬼，仲唔係名符其實嘅「鬼話」！

# Eason講「鬼話」
# 自作孽 俾鬼搞

## 全英文拍戲

〈贖命〉係一套全英文對白嘅戲，所以導演周隼要搵一個講到一口流利英語嘅華人演員嚟擔正演出都唔容易㗎，但好彩經過同行介紹之下終於搵到Eason飾演達倫呢個角色。不過估唔到Eason話用英文講對白有啲難度，所以要花啲時間消化喎！Eason：「呢套戲用英文劇本，所以比起中文劇本要花多一段時間先至可以消化到。有陣時，我覺得自己講英文對白個樣有啲怪怪哋，把聲又好似比平時壓低咗，哈哈！所以拍呢套戲好有挑戰性。」估唔到導演話如果Eason唔拍嘅話，咁就不如成套戲都唔好拍，睇嚟Eason真係好得導演歡心喎！

今次Eason同Leslie-Anne Huff合作，梗係全程要用英文溝通喇！

Eason今次所演嘅角色達倫，佢係擁有一個「不完整的靈魂」而搞到好困擾。

Eason喺呢套戲入面飾演一個酒保。

因為積遜嘅死撮合咗達倫同姬蒂。

## 巧遇撞鬼Leslie-Anne Huff

既然呢套戲係以英文為主,當然有唔少得嚟自其他國家嘅演員喇,今次〈贖命〉嘅女主角就係飾演姬蒂嘅Leslie-Anne Huff,佢喺戲入面會有一種超能力,就係睇完人哋一眼之後,就可以好準確咁講出嗰個人幾時死。就係因為呢個原因,所以吸引咗Eason同佢一齊,佢哋仲會一齊搵出人死咗之後會去到咩嘢地方。有一日,姬蒂遇到會喺幾個鐘後就死嘅積遜,仲叫積遜死咗之後要搵返佢。過咗幾個鐘,積遜果然死咗,之後真係搵返姬蒂,積遜仲叫佢去香港搵達倫,就係咁佢哋就一齊展開咗段「奇妙」旅程喇!

姬蒂去到積遜個墳,收到Order要去香港搵達倫。

姬蒂一個人走咗去中環。

Eason俾導演凌空吊起,搞到青筋都標晒出嚟。

## Eason「搞鬼」俾鬼追

Eason一向俾人嘅感覺好搞鬼,但係今次喺戲入面就同佢平時有少少唔同,因為佢真係去咗「搞鬼」,仲差啲搞到命仔都冇埋。導演為咗營造出驚險嘅效果,將Eason凌空吊起,搞到佢青筋都標晒出嚟。Eason:「嗰一幕係講我俾靈體凌空逼到去浴室捧牆度,跟住仲俾啲鬼搹頸想攞我命。導演為咗做到凌空嘅效果,所以導演要我吊住威也拍嗰一幕。其實我都有成10幾年右吊過威也,所以覺得好鬼劫呀,搞到臨尾我右手要扶住浴室個番梘架借力先行到。同時塊面又要做個好似窒息嘅樣,搞到我要谷住道氣,就連額頭啲青筋都標埋出嚟,所以嗰一幕真係好深刻!」

喺戲入面,Eason為咗追求生命嘅道理,搞到要俾鬼追。

## 不一樣的香港

導演為咗將〈贖命〉打造成一套非一般嘅港產片,佢除咗將Eason打造成一個「西人」之外,仲分別去咗美國、香港同法國取景,所以製作非常認真,而當中就以女主角姬蒂同男主角達倫喺香港探討「來世」嘅歷險做骨幹,所以套戲係以香港拍嘅戲份為主。而導演為咗演繹出一個不一樣嘅香港,佢除咗揀喺鬧市取景之外,仲去埋元朗、天水圍取景,仲喺嗰度有特色嘅交通工具拍攝,所以成套戲真係充滿香港特色呀!

電影去到天水圍取景。

兩個主角一齊去搭巴士。

**上映日期:12月1日**

Text_Vic  Art_Ravi

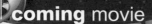

# 〈亞瑟少爺救聖誕〉
# 論盡仔蝦碌送大禮

仲有個幾月就到聖誕喇，唔知大家細個嘅時候會唔會真係放隻襪喺床頭，然後等「聖誕老人」嗰份禮物呢？而家大個咗先知道原來嗰位「聖誕老人」就係屋企入面錫你嘅人，但大家有冇諗過其實真正嘅聖誕老人係點送禮物嘅呢？嚟緊電影〈亞瑟少爺救聖誕〉就搶先為大家揭曉聖誕老人派禮物嘅過程，而派禮物嘅過程仲發生咗啲意外，搞到要由聖誕老人嘅細仔執手尾！但係細仔由細到大都冇派過禮物，仲好鬼論盡，到底佢可唔可以成功將禮物送到小朋友手上呢？而家即刻帶你去睇！

## 18秒入屋兼送禮

如果大家心水清嘅話，應該知道聖誕老人要喺一夜之間將禮物送晒俾全世界嘅小朋友，呢件真係難過登天嘅事，因為聖誕老人平均得18秒入屋、派禮物兼撤退！如果用傳說入面由8隻馴鹿拖行嘅鹿車，由煙囪爬入屋嘅方法，一定做唔到「使命必達」嘅速度，所以戲入面嘅聖誕老人絕對唔係用傳說方法入屋派禮物，而係另有玄機呀！

▲ 原來聖誕老人已經一早唔用傳統鹿車嚟喇！

▶ 每年都有好多小朋友寄信俾聖誕老人，話佢聽自己想收到咩禮物。

# 「使命必達」2部曲

## 第一部曲 嶄新科技禮物車

喺唔用鹿車但又要將禮物送到小朋友度，唯一嘅方法就係聖誕老人識飛先可以完成任務，但喺〈亞〉入面，聖誕老人同識飛有乜分別，皆因佢有架超級犀利嘅禮物車呀！呢架車嘅造型夠晒新潮，駕駛速度可以媲美〈天煞地球反擊戰〉入面嘅外星太空船，夠快又夠大，無論裝幾多份禮物、幾多個人都完全冇問題，今次仲唔「使命必達」？

▲ 你睇吓呢架禮物車幾巨型，話晒都載滿咗俾全球小朋友嘅禮物喎！

▲ 禮物車入面仲裝咗好多控制同降落裝置，聖誕老人間唔中都會巡視吓業務㗎。

## 第二部曲 聖誕精靈速幫拖

除咗有架靚車之外，單靠聖誕老人一個人，要喺18秒之內送完禮物又無聲無息咁撤退，似乎有啲難度，所以聖誕老人梗係有後著喇，原來佢有成一百萬位聖誕精靈幫拖呀！呢班精靈3個人一組，將禮物拿拿臨送出去，而且佢哋仲著咗特製嘅「隱形斗篷」，所以小朋友就算成晚眼光光，都絕對發現唔到佢哋一早塞咗份禮物入床頭嘅聖誕襪度。

▲ 呢班聖誕精靈一睇就知醒目兼辦事效率高喇！

## 聖誕老人要退休

聖誕老人又有架至快至新嘅禮物車，又有班咁幫得手嘅精靈，根本就係無敵嘅組合。大家都知，聖誕老人年事已高，所以佢諗住疊埋心水等退休，而繼承呢個重任嘅梗係又勤力、又有效率嘅大仔史提夫喇！今年聖誕，史提夫一早將派禮物嘅程序安排好晒，點知臨門一腳「撻Q」，漏低咗一份禮物，搞到要用傳統鹿車送，呢個重任唯有落喺細仔亞瑟身上喇！

▲ 大仔史提夫又可靠又做得嘢，不過佢就對聖誕節冇乜特別感覺。

▲ 細仔亞瑟係就係好有熱誠，不過成日論論盡盡，令人好難放心。

## 細仔受命送大禮

有時基因嘅嘢就係咁奇怪，大仔史提夫又叻又做得嘢，但細仔亞瑟就撞板多過食飯，所以聖誕老人一直都唔旨意佢可以幫手繼承衣缽，仲派咗佢負責處理世界各地小朋友寄俾聖誕老人嘅信。亞瑟雖然好有Heart，但係佢嚴重畏高、對雪花敏感、唔坐得快車，偏偏今次就要由佢肩負起送禮物嘅重任，同行嘅仲有不嬲鼓吹用返傳統鹿車嘅聖誕老爺同埋精靈部隊嘅「小薯仔」百樂尼！齋睇佢哋3位組成嘅蝦碌組合，真係戰呢份聖誕禮物入面嘅「滄海遺珠」擔心，到底呢個聖誕節，會唔會得一位小朋友冇聖誕禮物呢？咁就要睇吓亞瑟可唔可以「使命必達」喇！

▲ 今次亞瑟冇拍重出江湖嘅聖誕老爺，唔知有冇爆笑嘢發生呢？

▲ 聖誕精靈百樂尼精通118種紮帶打蝴蝶結嘅方法，仲好做得嘢喇！

▲ 亞瑟最後可唔可以趕喺聖誕前，將禮物送俾小朋友呢？

上映日期：12月1日

# 〈加勒比醉愛日記〉
## 再次戀上
# JOHNNY DEPP

提起Johnny Depp，大家都會即刻諗起海盜船，事關佢喺〈魔盜王〉電影系列入面嘅造型實在太深入民心。Johnny Depp呢個名似乎永遠都離唔開加勒比海咁，而佢喺嚟緊上映嘅新戲〈加勒比醉愛日記〉繼續貫徹風流不羈嘅性格，演繹同樣抵死幽默，不過今次佢唔係做海盜，而係飾演一個頹廢嘅記者，仲會因為一個熱情如火嘅女人而陷入3角關係。今次Johnny Depp除咗做主角之外，仲做埋電影監製，實行叫觀眾再次戀上佢呢位不羈型男。

## 頹廢記者出生天

Johnny Depp喺〈加勒比醉愛日記〉入面飾演原本喺紐約做嘢嘅記者Paul Kemp，佢因為厭倦咗當地嘅煩囂，所以走咗去波多黎各呢個充滿歐洲同非洲異國文化嘅地方，決定喺間細細地嘅報館度做記者，實情鍾意夜蒲多過採訪嘅佢，簡直好似去咗天堂一樣。雖然佢間中會俾公司嘅主編壓迫吓，之不過佢亦有富豪Sanderson（Aaron Eckhart飾）帶佢走入金錢世界，佢仲知道對方同當地政府嘅秘密交易，誓要將黑幕成為頭條新聞，真係好威喎！

Editor in Chief
. J. LOTTERMAN

咁有型嘅報館記者，你見過未？

## 遇上騎呢拍檔

話説Paul Kemp去到外地，當然會有唔少奇怪又搞笑嘅經歷喇，就好似佢身邊嘅人咁。身為記者嘅佢會有一個養鬥雞嘅攝記拍檔，因為波多黎各係全美唯一一個鬥雞合法化嘅地方，一年有成20萬場鬥雞比賽，全年嘅投注額高達3億3千萬，真係「做雞好過做人」，Paul Kemp有個養雞嘅同事，必定惹笑連場！加上佢仲有個信邪爆巫術嘅鄰居，話巫術可以醫性病，仲幫Paul Kemp詛咒死對頭，認真笑爆嘴！

觀眾喺戲入面可以睇到鬥雞場面。

除咗Johnny Depp之外，其他演員嘅演出都相當搞笑。

## 瘋狂3角關係

Paul Kemp的確有唔少瘋狂經歷，但講到最癲同最精彩嘅都莫過於識咗個靚女Chenault（Amber Heard飾）。Paul Kemp明知Chenault嘅男朋友就係死對頭有錢佬Sanderson，但係都控制唔到自己鍾意佢，梗係喇，呢個女仔作風大膽，仲叫佢一齊私奔，聽落都夠晒刺激同浪漫喇！不過Sanderson又點會俾自己女朋友跟佬走？今次Paul可謂大禍臨頭，好驚險呀！

## 型男繼續不羈

〈加勒比醉愛日記〉懷舊味都幾濃，為咗配合電影背景，Johnny Depp喺戲入面嘅造型真係Cool爆。想像一下戴住太陽眼鏡、著住復古西裝嘅Johnny Depp坐喺架老爺車度，你絕對唔會覺得佢老土，而係絕對夠晒散發到50年代嘅味道，仲要係有型有款嗰種。

香車配美人，再襯落型男度簡直一絕。

## 身兼監製致敬

〈加勒比醉愛日記〉根據有「荒誕新聞學之父」之稱嘅記者Hunter S. Thompson同名小說改編，呢位記者本身亦係Johnny Depp嘅好朋友，因為作風古怪而一度受到業內人士追捧，可惜天才作家最終以自殺嚟結束生命。所以Johnny Depp今次除咗做男主角之外，仲做埋監製，希望將好友遺作嘅神緒原汁原味咁帶俾觀眾，並且向好朋友致敬，相信如果Hunter S. Thompson知道嘅話都會好感動呀！

Text_Seiki  Art_kIT

上映日期：12月1日

## E記 走出直播室

叱咤903嘅DJ E記,向來都多瓣數,無論係做DJ,定係寫作,好多範疇都有佢份,而且瓣瓣都深受年青人喜愛。E記咁受歡迎,就係因為佢夠多諗頭,夠前衛同創新。今個月,E記繼續會喺〈yes!!〉獻筆,寫低佢嘅生活事,俾大家知道,絕對唔係喺直播室咁簡單!

# Yoga Says...

他那天對記者說的一句話,最近成了我常說的話。他說:「我只是想唱歌而已。」他說這話時正在拍拖。他的意思是「讓我拍拖時專心拍,唱歌時專心唱吧!」

最近有太多不屬於我的事要我處理,但真正要處理的事卻沒有時間做好。越接近2011-11-11,我的時鐘就越混亂。那些New Age人為這日子興奮,但我只感到Chaos!其實數字是人發明的,日子、時間也是,所以11年11月11日11時11分11秒這些所謂的重要時刻,其實可能一點意思都沒有。

還有什麼「光棍節」,又一個由人類定出來的無聊節日。繼什麼「白色情人節」之後,又一個不知為何會誕生的節日。人定了多少節日,我們的情緒就被這些節日牽引多少天。要是大家這麼喜歡節日,不如自定一些更有意義的吧!

我們只有短短幾10年命,不要再浪費多一秒了,也不要浪費別人的一分一秒吧!

*Zee*

善用時間看周國賢×野仔的精彩拉闊演出。

結識新朋友～

Text_E記 Co-ordinator_Karen (karenso@yes.com.hk) Art_wAi

## 吳若希 少女心事

吳若希（Jinny）出道一年多，以甜美樣子、高挑身型，再加上有力度嘅歌聲，成為近期熱爆嘅少男殺手。最近主打嘅合唱歌「知己」，已經成為卡拉OK熱唱歌曲。年紀輕輕嘅Jinny，今個月會喺〈yes!!〉首度寫佢嘅個人專欄，講講佢嘅少女心事。宅男女神要降臨喇，宅男們準備好未呢!?

# 我的「那些年」

　　〈那些年〉的熱潮在我身邊好像不是很熱，但身邊仍不乏朋友激讚好看。其實〈那些年〉好看的地方是那些年共同的回憶。

讀者們應該還在讀書吧！我的那些年其實沒有柯景騰出現，所以我蠻專注在讀書方面。以前讀過的學校全都是男女校，可能我長得比較高，所以經常都是當女班長、科長或是組長之類的領袖角色。因此在班上，我常常是個大姐姐的角色（奇怪，我從小到大都當領袖，但我又是最多人疼愛和遷就的那個）…

而那些年，我最喜歡上的科目就是中文科，因為每次中文科老師很風趣，除了課本知識外，他還會說很多其他有關聯的課題，真是很吸引呀！記得中文老師打趣的說：「你們當記課本內容好像記八卦雜誌般，那麼就會覺得課本很風趣喇！」所以我就一直抱著這種心態去學中文！哈哈！

當然，有最喜愛的科目，也有最討厭的…那就是數學科!!! 我經常問別人：你上街買東西時會不會用代數計算!?!? $X+Y+Z=W$的3次方……"

所以跟你們說一個我的小秘密，我讀中四時的數學科是全班最後一名!! Hahaha~~ 不過同學們千萬不要學我啊！你們要抱著讀書是看八卦新聞的學習心態就最好了!!

看完〈那些年〉也不禁令我想起自己讀書時期的往事。

Text_吳若希　Co-ordinator_Karen　(karenso@yes.com.hk)
Photo_Herman　Wardrobe_Dip Drops　Hair_Nick@Orient 4　Art_Gary

## 羽翹・語橋

羽翹（Ava）出道至今，經常將自己嘅喜好，包括扮靚心得、音樂、創作，甚至係唔同類型嘅表演放上網分享，令到好多Fans都可以透過網絡更加認識呢個小美人同佢嘅興趣。今個月，羽翹繼續喺〈yes!!〉專欄出現，用佢最真實嘅文字語言，同埋最獨特嘅概念，分享佢嘅美麗生活。想更深入認識羽翹，或者鍾意羽翹嘅Fans，就一定唔可以錯過呢個超難得嘅機會呀！

# 化妝水VS笨皮膚

潔面程序完畢後，很多女生都知道下一步是要塗上爽膚水，可是大家可能不知道爽膚水真正的用途是甚麼？一般來説大家都知道跟補水有關，但它怎樣幫助我們平衡肌膚的含水量呢？其實毛孔是需要我們哄騙的，洗臉後皮膚變得乾燥乃十分正常的情況，因為潔面產品有機會洗去皮膚上應有的皮脂，令我們的肌膚「過乾」。此時即使塗上很滋潤的面霜也無法解決當前問題，因為Cream狀面霜吸收需時。不怕老實告訴大家，面霜要徹底吸收至少要一兩小時！此時我們的毛孔就像一個空空的水杯，杯上蓋了一層保鮮膜，但感覺很乾，因此它會分泌多點油脂作保護皮膚之用。但時間長了，混合在面上的護膚品會令我們看起來滿面油光，青少年朋友一定覺得非常討厭！所以潔膚後保濕這一環很重要，因為毛孔很笨，一旦它感到乾燥便會不停分泌油脂。秋冬期間，在選擇化妝水時可以選擇含透明質酸成份、黏黏的那種，因為這些成份會帶來不錯的保濕效果。而一年四季都可以選用的化妝水成份則非維他命C莫屬，因為維他命C是水溶性，把此成份加在爽膚水中可加強皮膚吸收的進度。

最近工作繁忙，工作時遇到不少藝人朋友。

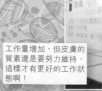

工作量增加，但皮膚的質素還是要努力維持，這樣才有更好的工作狀態啊！

## 鄒文正 我是誰

鄒文正（Terry）係2011年度香港樂壇新人。早前Terry就推出咗首張個人專輯〈鄒文正〉，能唱能作，而且外型仲俾人話係翻版林峯嘅佢，即時成為今年度有潛質嘅新人。新人最需要Fans對佢多啲認識、多啲留意。今個月Terry就會喺〈yes!!〉入面親自撰寫專欄，等大家可以更直接、更快捷咁認識到呢位熱爆男新人呀！

# 愛情是盲目的，對嗎？

今天的題目是「愛情」，雖然感覺很陳腔濫調。但你有否想過，「愛」是什麼嗎？
不知道的話，聖經裡其實是有記載的。
愛是恆久忍耐，又有恩慈；愛是不嫉妒，愛是不自誇，不張狂，不做害羞的事，不求自己的益處，不輕易發怒，不計算人的惡，不喜歡不義，只喜歡真理；凡事包容，凡事相信，凡事盼望，凡事忍耐；愛是永不止息。

但如果有一天，你的他/她真的「盲」了，你還會對他/她說：「我愛你」嗎？
如果⋯愛是盲目的話。

這是我最近工作時拍攝的照片，很有「愛」的Feel。

Text_鄒文正　Co-ordinator_Karen（karenso@yes.com.hk）
Photo_Guy　Wardrobe_Energie　Art_wAi

077

# 有話直說

柯震東

作曲：邱聖倫
填詞：葛大為

＊ 咖啡再濃 失眠再久 瘋狂想你時間也不夠
有股衝動 快要失控 我的寂寞讓我自己拯救

被你看穿 我的不安 躁動的心只因為你造反
愛上你了 絕沒有錯 Oh

別沉默
沒有理由想得太多 愛再辛苦也難不倒我
我不想示弱 我愛你 有話直說

捨不得猶豫一秒鐘 鼓起勇氣才是真溫柔
不必等太久 我有話直說 ＊

Repeat＊

在心底不斷重複上演 你每一種可能回應
愛情如果是個疑問句 我想把它變肯定

放棄了想流浪的基因 只在乎和你在一起
明明想吶喊竟然壓抑
多麼愛

＃ 讓我擁抱 陪我呼吸
這世界終於有了點微妙意義
讓我緊握 陪你哭泣
小動作都是我愛你偉大壯舉 ＃

Repeat＃

我會親口說… 親口說…

作曲、填詞：/

Watching 계속 바라보며 난
Waiting 니가 다가오기만을 바래
어서 내게 와 날 데려가 제발
Dreaming 니 맘도 나 같기를
Praying 가슴 조이며 난 기도해
저 하늘에 이렇게 두 손을 모아서

이런 적이 없는데 내 가슴이 두근두근 두근대고
몇 번 본 적 없는데 니 모습이 자꾸 꿈에 나와
차분하려 하는데 니가 또 내 앞에만 나타나면
사랑한다고 말해버릴 것만 같아

Please be my baby, Please be my baby
너만 생각하면 미치겠어
니가 너무너무 갖고 싶어서
Make me your lady, Make me your lady
나의 사랑을 너에게 줄게
절대 후회하지 않게 해줄게 No

Crazy 내가 미쳤는지 왜
Lately 하루 종일 난 뭘 하든지
너의 사진이 머릿속에 박혔어
Perfect 모든 게 완벽해

Terrific 겉과 속 모두 다
어쩜 너는 모자라는 게 하나도 없는 건지

차분하려 하는데 니가 또 내 앞에만 나타나면
사랑한다고 말해버릴 것만 같아

Please be my baby, Please be my baby
너만 생각하면 미치겠어 니가 너무너무 갖고 싶어서
Make me your lady, Make me your lady
나의 사랑을 너에게 줄게 절대 후회하지 않게 해줄게 No

자 더 이상 이제 망설이지 마 내 말을 의심하지 마
내 말을 믿고 나를 따라와 난 니 인생의 마지막
여자가 되고 넌 내 마지막 남자가 될 거란 걸 알지만
넌 아직 몰라 왜 놀라 자 어서 빨리 나를 골라
말 할 필요도 없어 그냥 내 말대로 잘 할 생각만 하면 돼
그러니 니 앞에 날 잘 보고 판단을 해 봐 어때 88 나이도 딱 맞아 모두 다 맞아

Please be my baby, Please be my baby
너만 생각하면 미치겠어 니가 너무너무 갖고 싶어서
Make me your lady, Make me your lady
나의 사랑을 너에게 줄게 절대 후회하지 않게 해줄게 No

Be My Baby

Wonder Girls

作曲：JUNG YONG HWA
填詞：Kenji Tama、Yoshifumi Kanamaru

In My Head

CNBLUE

The way we go and go　まだまだ
もっと向こう　beyond light
この手に　catch my dream
僕らの揺るぎの無い　想い
I hope now　真っ直ぐな光で
I hope now　誰かを笑わせたいな
I hope now　それぞれのこの心を今　重ね　放つ
Hear in my head　想像を遙か超えてく
In my head　摑め　描いた同じ未來
Oh in my head　壯大なる　誰も知らない
In my head my head　煌めきに觸れたいや
In my head　敢然と　可能性信じて
In my head　情念は　切なくも甘い願い
Oh in my head　いつだって　僕らこのまま
In my head my head
儚くもツライ夢よ　In my head
The way we go and around
並んだ　影が搖れなびくよ
その目に　I feel heat
僕らの紛れのない夢を
I hope now　違う色の心
I hope now　ひとつになった時は
I hope now　どんな涙も希望と言う　汗に　變わる

hear in my head　燦々と　照らす光に
In my head　明日へ　向かえと煽られ
Oh in my head　響け　振り絞る聲
In my head my head　輝きの向こうへ
In my head　風が流れる瞬間
In my head　僕ら　何を感じんだろう
Oh in my head　もっと裸のままで
In my head my head
ブレることない希望よ　In my head

Hear in my head　散々な報いの果てに
In my head　進め　描いた同じ未來
Oh in my head　壯大なる　誰も知らない
In my head my head　煌めきに觸れたいや
In my head　敢然と　可能性信じて
In my head　情念は　切なくも甘い願い
Oh in my head　いつだって　僕らこのまま
In my head my head
儚くもツライ夢よ　In my head
…裸のままで　In my head my head
ブレることない希望よ　In my head
…儚くもツライ夢よ　In my head
…ブレることない希望よ　In my head

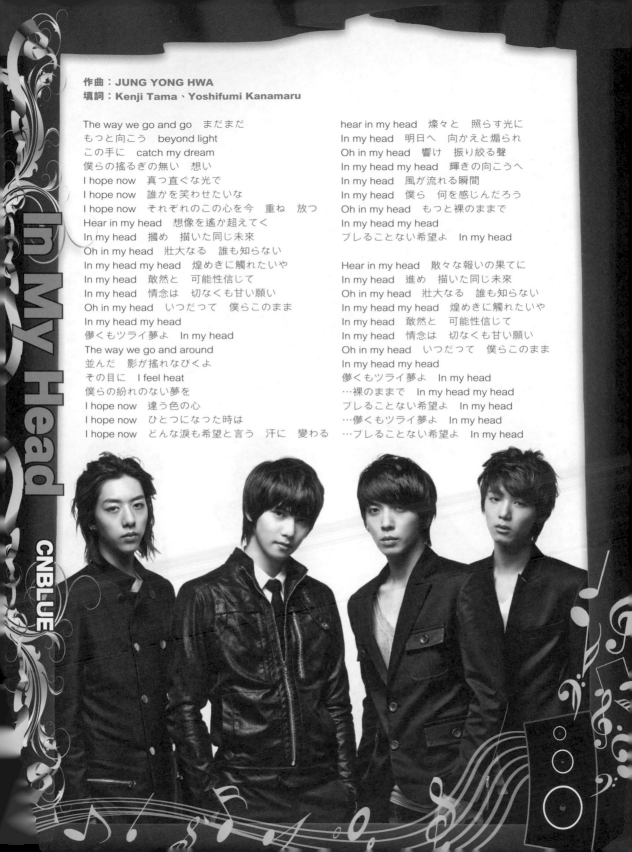

作曲：張敬軒、Johnny Yim
填詞：黃偉文

越來越冷 越來越濕
越來越黑
井底的眼睛 抬望宇宙
隕落碎星

越來越遠 越來越虛
越來越輕
我願為情 黃泉下暢泳
你沒有心領

＊ 呼吸一閉起 彷彿可以飛
飄上天際空氣
最後驀然回頭望這地
發現已死

怎麼苦戀到死 先想起轉機
不必這樣收尾
我要是為情能沉下去
便有勇氣一力 爬起 ＊

越來越怨 越來越慘
越來越悲
井底的叫聲 由大到弱
到沒有聲

越來越愛 越來越緊
越來越瘋
這段劇情 彌留在腦內
播著也高興

Repeat ＊

芳心經已死 屍體不會飛
不要視為傳奇
要是基前能留下見地
記著愛己

不應偏執到死 先清楚記起
根本這是歪理
你會為情人捱完毒氣
但你卻對生命 兒嬉

井

張敬軒

最最喜歡妳

東于哲

作曲：蔡旻佑
填詞：林怡鳳、蔡旻佑

Hey baby you don't know
How much I need you so
Please tell me who's your lover
Hey baby think about me
I'll never let you go

誰先看見妳 心跳開始溜滑梯
我可以怎麼認識妳
早就注意妳 笑著的雙眼瞇瞇
我就是這麼被妳吸引

＊ 陽光的表情 就像我發燙的心情
三餐都對妳想個不停
人字拖鞋底 偷偷寫著我喜歡妳
別安靜 別懷疑我最喜歡妳
（別客氣 別懷疑喜歡妳 是我的榮幸）

＃ 我的時間全給妳 視線也給妳
不求回報不貪心 妳要吃飽要開心
就算打動不了妳的心 Baby ＊＃

Repeat ＊

想把所有都給妳 快樂給了妳
妳搬進我的心底 妳讓我充滿了勇氣
整個世界我都願意 給妳

說了 做了 開始等待奇蹟
不敢分心 不敢偷瞄不敢放肆大方想妳
好的 壞的 答案只要一句
Baby Baby 我喜歡妳

Repeat ＃

想把所有都給妳 快樂給了妳
妳搬進我的心底 妳讓我充滿了勇氣
妳有沒有一點喜歡我了

作曲：徐浩、RandyChow@the Island
填詞：C君@the Island

拖拖手　而然後大家分開走
然而又驟眼經過幾個春與秋
這夜碰到也算聚首
微笑與我的他握手
我都禮貌去擁抱你密友
若最初你我沒有匆匆分手
留在你旁邊結伴走

＊　也許繼續去想也許
這喜宴夜裡親友也陶醉
全場為座上情侶相聚還讚你我登對
（全人類在現場也淌淚還勸你我親嘴）
在這剛新婚的家居
也許於相對那時空裡
存在最溫馨一對　＊

揮揮手　而你與你的她牽手
從前沈默今天會講笑不怕醜
注意她感覺與造手
連過去固執都拋走
我都已學會體貼我密友
沒有想過再會也不皺眉頭
還為了成長　繼續走

Repeat＊

她手中的婚戒應該戴於我手
她感恩的心態應該叫我擁有
從來未意外　全部是意外
遺憾是最初怎麼跟你未盡全力相愛
假使真的相對空間有些變改
求讓我們別再分開

也許我願說聲允許
這一輩做你的最愛伴侶
全人類在現場也淌淚還對你我嘉許
在每天都抱我入睡
沒有一雙夠我們登對
成就最精彩一對
也許會望見相對那時空裡
存在最親的一對

相對時空　官恩娜

083

# 一飛衝天去

相信做飛機師係好多人細個嘅夢想，喺3萬呎高空上面穿梭翱翔、去到世界唔同角落見識同遊歷，又有一大班靚女空姐陪住，總之好處真係多到數唔晒。可能你而家仲未夠秤做飛機師，但唔緊要！今期「play it hard」帶你去滿足晒呢3個願望！仲等咩呀!? 快啲跟實我哋出發喇！

## 準備衝上雲霄！

今日我哋兩位小機師揸嘅係波音747模擬客機，帶領住我哋嘅有機師Jacky。

▲ 起飛前一定要檢查清楚先！

▲ 做飛機師要識晒呢度每一粒掣，佩服佩服！

▲ 飛機師指導員—Jacky。

## 選擇好情境！

呢個模擬駕駛艙同真實情境一樣，設有唔同嘅情境模式，有唔同國家、天氣、時間嘅模式俾你揀。無論日頭定夜晚，都有落雨、行雷、落雪、晴天任你揀。而嚟緊嘅聖誕就最啱玩雪景模式喇。今次我哋揀嘅係紐約一個天晴嘅早晨，你睇吓個天空幾靚！

▲ 藍天白雲，最啱去旅行！

# 一日飛機師！

## 撞自由神像！

揸揸吓，我哋見到自由神像呀！貪玩嘅William
諗住揸住架機撞落自由神像度睇吓有咩反應，
點知未埋到去，就成個機艙響起警報訊號喇，
成排製著晒紅燈添！真係好逼真呀！

▲貪玩William想試吓撞落紐約自由神像度。

▲仲未埋到神像，就已經著晒紅燈警報。

▲一飛埋啲啫，就即刻出現警報。

## 留返個紀念！

嚟呢度學揸飛機，真係一個好特
別嘅經驗，呢度係全港唯一有得
學揸模擬飛機嘅地方，雖然只係
開咗3年左右，但已經好多人嚟
學揸飛機，連職業飛機師都會嚟
呢度練習應對撞機呢啲突發情
況。咁巴閉嘅回憶梗係值得紀念
喇，所以喺完成課程之後，呢度
都會頒返張證書俾你㗎！

**FLIGHT EXPERIENCE**
FLIGHT SIMULATOR

Flight Experience Hong Kong
**Certificate of Achievement**

Is hereby granted to:
*Capt. Yes !!*
*For successfully completing a flight*
*On the Boeing 737-800 Flight Simulator*
Flown On:
*12 November 2011*

▲當你完成咗課程之後就會有證書。

▲呢度仲有關於飛機嘅紀念品買喫！

▲課程禮券。

# 課外活動揸飛機!

自從轉咗「334」之後,學校咪成日要你填嗰啲課外活動參與時數表嘅,如果你唔知填咩好,又想試吓做飛機師嘅滋味,咁以下落嚟呢個課程就啱晒你喇!呢度有特別為12至18歲嘅年青人而設嘅青年飛機師培訓計劃,為期3年,課程係由現職嘅航空客機飛機師親自教你點揸波音747客機,學成之後對你第日投考飛機師好有優勢㗎!有埋實踐同理論嘅培訓,咁專業嘅師資設備,2千幾蚊一個月唔算好貴啫!

▲邊個話淨係得男仔先可以做飛機師㗎!?

◀呢度提供嘅專業訓練培育咗好多職業飛機師。

# 老少咸宜飛機Party!

▲呢度嘅空姐態度除咗親切友善之外,仲好靚女添!

嘻嘻,終於可以同空姐近距離接觸喇!

除咗頭先所講嘅3年課程之外,都有啲輕鬆啲嘅課程。呢度嘅課程有好多種Package任你揀,一家大細又有,老人課程都有,甚至乎連生日派對都可以喺呢度搞,呢度嘅職員仲會同你玩遊戲同幫你影相留念添!

**FLIGHT EXPERIENCE**
網址: www.flightexperience.com.hk
電話: 2359 0000
電郵: booking@flightexperience.com.hk
地址: 九龍灣MegaBox地下20號舖

Text_isabb. Photo_Herman Art_wAi
Model_William Fung@First Cast、Kan Wong@星願事務所

# 自製冬日
# 甜蜜蜜朱古力火鍋

呢幾日天氣涼咗少少，唔經唔覺冬天就嚟喇！大家係咪都心郁郁想食火鍋呢？如果嫌傳統火鍋「烚吓烚吓」太老土嘅話，今期「yummy yummy」會教大家自製近年大受歡迎嘅朱古力火鍋喇！做法簡單快捷，最啱為食嘅你！

## 所需材料

| | |
|---|---|
| 火鍋爐 | 1個 |
| 燃料（火酒） | 1支 |
| 朱古力 | 200g |
| 忌廉 | 80g |
| 果味紅酒 | 1湯匙 |
| 鮮果 | 適量 |
| 棉花糖 | 適量 |

**Step 1**
先喺火鍋爐爐頭加入燃料。

**Step 2**
點火。（點火之前要用布抹走爐外面嘅燃料，一定要注意安全呀！）

**Step 3**
放個鍋喺爐頭上面，然後倒的忌廉落鍋。

**Step 4**
將朱古力整到細細塊，之後放落鍋。

**Step 5**
煮到啲朱古力溶晒，同忌廉攪勻。

**Step 6**
加果味紅酒落個鍋度。

**Step 7**
用叉叉住生果粒同棉花糖，點落溶咗嘅朱古力度。

**Step 8**
點完之後就可以放喺碟度，等啲朱古力慢慢凝固，咁就最好食喇！

## Yummy 小貼士

我最鍾意大菠蘿！

1. 揀爽口嘅水果，好似西瓜、蜜瓜、菠蘿、蘋果等就最啱配朱古力火鍋喇！
2. 喺熱溶朱古力嘅時候，裝朱古力嘅器皿唔好有水份呀！
3. 食嘅時候唔使熄咗個爐，Keep住朱古力繼續溶，咁就最Yummy喇！

# 朱古力小百科

## 黑朱古力
亦可以叫做純朱古力,質地比較硬,可可濃度超過50%。

**1** 53%-55%濃度:味道平均,可可苦味同甜度適中,啱晒大眾口味。

**3** 70%或以上濃度:可可苦味極濃,可能會有少少苦澀味。

**2** 60%-64%濃度:可可苦味比較香濃,甜度相對比較少。

## 牛奶朱古力
含可可成份40%或以上,至少含乳質品12%。

含有牛奶同埋40%可可成份,呢類朱古力加多咗煉奶混合而成,所以比較香滑,甜度亦相對較多。

## 白朱古力
含可可成份30%以上,乳質品同糖份含量都比較高。

成份多數係糖、奶粉同埋雲呢嗱。因為可可油成份極低,糖份較高,所以相對較甜。

通常朱古力火鍋用嘅都係黑朱古力,至於濃度可以根據自己口味揀喇!

好香嘅朱古力,Yummy!

小記提醒大家,火鍋好多時都有「點火」呢個環節,各位記住要小心呀!另外,呢個朱古力火鍋最適合情侶,大家互相喂對方食,咁就更加甜蜜喇!祝大家過一個甜蜜蜜、暖笠笠嘅冬天喇!

**Text**_isabb. **Photo**_Guy 註:部份為網路圖片
**Model**_KK Lai@星願事務所 **Art**_AK

而家踏入秋冬時間，間唔中出現少少陽光，真係幾舒服㗎！有冇諗過將呢個微微嘅陽光變成綠色溫暖嘅日系攝影方法影出嚟呢？好似啲日本女仔拎住相機，喺太陽底下望住鏡頭笑一笑，真係Warm到爆呀！呢種咁啱近排天氣嘅綠色日系攝影法，無論郊野、公園定係街邊都可以影到，今次就一於教吓大家點影先！

# 愛玩・愛影相

# 齊撐綠色日系攝影！

## 女生系攝影

日系攝影法係日本傳過嚟嘅一種攝影手法，主要大玩溫暖色調，例如以黃綠色為主，畫面顏色會比較淺，唔會太過鮮豔。而攝影手法主要係捕捉最自然嘅一面，唔使咁造作扮型，所以效果都幾Sweet，好受女仔歡迎㗎！

好似近排賣到周街都係嘅相機廣告，雖然色調偏白，但係都有運用日系攝影法㗎！

日本有好多網誌都會睇到日系攝影嘅相，以綠色為主調嘅相亦都唔少。

就算係一張風景或者植物相，都可以用日系攝影法影，色調唔使咁鮮。

如果齋望係咪覺得好單調呢?

只要多啲留意身邊嘅物品,再加少少創意,就可以影到日系攝影相。

就算影住自己玩手機都得㗎!

## 事前準備

如果大家好熟點影相嘅話,都知道每張相應該有一個突出嘅主題俾人睇到,就好似日系攝影法咁,有時候都會借助鮮花、揸相機、甚至簡單到食生果、玩紙飛機等等嘅道具,令到主題更加明顯。而為咗效果自然啲,主角可以唔望鏡頭,捕捉對方忘我咁玩嘅一刻。

## 唔使閃光燈

喺調校相機方面,大家可以喺影相之前提高ISO,但唔使開閃光燈,因為閃光燈會令畫面減少多餘嘅光線,而日系攝影法需要嘅係自然嘅光感。而大家亦可以多啲運用數碼相機裡面嘅「自然」、「復古」或者「淡化膚色」,都可以令畫面望落溫暖同舒服啲㗎!

調校相機前。

提高ISO,將相機轉做自然效果後。

## Take Action!

講完咁多嘢,當然要即刻示範吓日系攝影喇!自拍女影咗一啲望鏡頭或者望遠景嘅相,大家睇吓邊張正啲?

### 吹波波

望鏡頭!

唔望鏡!

自拍女Sammy影咗張吹緊波波嘅相,大家可以留意吓望鏡頭嘅相,焦點會放咗喺Sammy個樣身上,而另一張唔望鏡頭嘅相,焦點就會放咗喺Sammy玩緊波波呢個動作同氣氛身上,而日系攝影法正正就係想要呢樣嘢。

### 公園遊

側面Look!

除此之外,大家亦可以拍攝人像側面,透過一啲好自然嘅微細動作,好似玩遊戲、著鞋咁樣,捕捉最靚嘅一刻,喺DC預設嘅「自然效果」功能之下,望落就更加有斯文Feel。

### 勾造作

笑住轉身望鏡頭,男仔揸機口水流!

雙手V型笑矇矇,一睇就知扮成龍!

## 可用Photoshop

其實影日系攝影相唔難,但要做到嗰種同平時影相有分別嘅色調,可能未必第一次影就影得到,有需要嗰時可以用Photoshop幫吓手,只要喺程式裡面揀「調整圖層」,再到「相片濾鏡」,之後新增一個暖色或者綠色濾鏡,加強黃綠色嘅色調,望落就唔會太鮮色㗎喇,一樣可以做到至Warm嘅效果㗎!

執相前

執相後

Text_雞  Photo_Herman、註:部份為網絡圖片
Model_Sammy Lam@星願事務所  Art_kIT

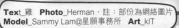

假如閣下身處荒島，咁唔好彩島上有人被殺，又咁啱島上面所有嘅通訊設施都失靈，兇手就喺你身邊，你想走又走唔到，你會點做？……講緊嘅唔係〈金田一少年之事件簿〉嘅情節，而係日本漫畫家三部敬嘅新作〈鬼燈之島〉。呢本集恐怖、懸疑、推理於一身嘅漫畫。如果齋睇封面嘅話，絕對估唔到入面嘅古仔原來係講班小學生被困荒島，同學仔一個一個被殺，當中嘅老師更加極有嫌疑係殺人兇手，究竟呢班小學雞點樣逃出生天呢???

# 金田一殺人事件再開！
# 小學雞逃出〈鬼燈

阿心同阿夢發現女鬼。

## 女鬼於校園出沒！

呢本漫畫係講有班唔夠10歲嘅小學雞，因為家庭問題而俾人帶到一個叫鬼燈之島嘅小島生活，島上面只係得6個學生同4個老師咁大把。有一日，新嚟嘅阿心同阿夢兄妹到咗呢個島讀書，點知喺學校入面接二連三見到女鬼，更一步步發現原來有舊生係死喺某個學生嚴禁進入嘅密室裡面，佢哋一步步發現呢間學校不為人知嘅秘密，發現校長藉住學生意外身亡呃巨額保險金。當阿心發現呢個秘密之後，就決定策動一次逃出荒島嘅大計。

鬼燈之島表面上係一個水清沙幼、風景怡人嘅小島。

不過島上面只係得6個學生同4個老師，每日只得一班船進出。

阿心發現櫃桶出現一把離奇血刀。

學校嘅老師一步步展現出原本嘅面目。

## 互信關係全無！

如果一個世界，冇咗互信關係嘅話，大家就會成日猜度對方，又會疑神疑鬼。好似〈鬼燈之島〉入面咁，主角阿心要帶住失明嘅妹妹周圍走，起初佢哋都唔太相信學校竟然會有老師殺學生，但係阿心有次諗住去學校嘅禁地睇吓，就喺嗰度發現牆上寫滿字，係以前學生寫嘅遺書。自此，阿心身邊嘅同學仔就一個一個俾人殺死，最離奇嘅係某啲老師都意外死埋，於是阿心就開始覺得越嚟越可疑，睇嚟兇手未必一定係校長或者老師，可能係身邊嘅同學仔⋯⋯

喺學校禁地入面，發現當年學生寫嘅遺書，寫到成埲牆都係。

有學生憶述返當年老師殺學生嘅情境。

曾經打算逃出學校嘅學生，最後都不得善終。

連白井老師都死埋。

快啲逃離兇手追捕！

# 之島〉

## 6個學生、4個老師！各有可疑

島上面只係得6個學生同4個老師，不過自從阿心兄妹嚟咗之後，就接二連三有人死，先係學生，後係老師，究竟真正嘅兇手係邊個呢？

**阿心**
自細俾雙親遺棄，負責照顧失明嘅妹妹。

**阿夢**
阿心個妹，自幼失明，不過聽覺就比一般人強。

**秀一郎**
IQ 150嘅天才學生，唔輕易相信大人講嘅嘢。

**初音**
出生喺問題家庭，擅長唱歌，但係就患咗失語症。

**阿太**
4年級嘅學生，為人怕事，為食。

**力也**
鬼燈學校最高年級嘅學生，負責策劃脫離鬼燈之島。

**雪乃老師**
初嚟埗到嘅新老師，為人熱心，係劍道嘅高手。

**臼井老師**
成日唔講嘢，身型好大隻。

**桑館老師**
為人鹹濕，經常恰學生。

**校長**
隱瞞住學校不為人知嘅秘密。

**〈鬼燈之島〉**
作者：三部敬
出版：玉皇朝
期數：第1期（待續）
售價：$35

封面同內文嘅畫風完全唔同，唔講仲以為係色情漫畫。

Text_矢吹丈　Art_Moni

# 三國版少女時代
## 殺入〈Web恋姫†夢想〉

嘩！呢排喺自韓國嘅少女時代一出返嚟，風頭真係超勁呀！另一邊日本都有隊「少女時代」啵，佢哋仲話實力強過韓國少時添！呢班少女識得戰鬥、管理城鎮、甚至一統3國，點解？因為網頁遊戲〈Web恋姫†夢想〉將三國演義嘅英雄武將化身成為一個個特色美女，睇見都流口水呀！

我咪就係曹操囉！

### 46位少女武將！

雖然而家有唔少網頁遊戲出現，但好多都係以男性化嘅Game居多，而網頁遊戲〈Web恋姫†夢想〉就唔同喇！佢係就係以三國做主題，但查實佢亦加插咗大量啱女仔口味嘅內容，大家一樣可以化身成為古代英雄，例如劉備、張飛等等，為三國統一而努力，單係遊戲出現嘅46位少女武將，每個少女都咁可愛、咁鬼萌，有邊個唔鍾意呀？

46位武將大晒冷！

唔好睇少呢隻Game！每位武將都有唔同嘅花樣表情，做得好仔細呀！

## 自己管城鎮!

唔好諗住睇完靚女就算呀!美貌與智慧並重就最好喇!就好似你請返嚟嘅美女武將咁,開頭你會得到一塊土地,一方面你要出去爭奪資源,而另一方面亦要發展村莊、將領土擴大。嘩!咁咪好考腦力?呢層你可以放心,因為遊戲裡面會有新手教學,唔使驚唔識玩!

開頭玩家得到嘅領土金比較少,所以最緊要搵多啲錢。

呢個係選擇城池所在嘅位置,齋講好似聽唔明,好彩會有新手教學幫手。

咁多綠色一格格係乜嘢?咪就係你嘅巨大土地囉!

適當運用武將「奧義」技能,可以有助提升自身嘅官位同功績喇!

## 萌到爆!

〈Web恋姫†夢想〉嘅畫面比較簡單,但一樣有唔少夠晒可愛嘅造型畫面出場,例如每次當你完成任務之後,都會出現一張張唔同樣,有時玩可愛、有時玩索女嘅卡通畫面,唔好話女仔鍾意、連男仔都會心動呀!而玩家亦要不斷養成少女武將,例如加強武裝能力咁,萌得嚟仲要有內涵喫嘛!

每一個任務嘅主題介面都有分別,好似收集遊戲卡一樣,Cute到爆!

我夠唔夠靚先?

## 免下載!

有時候打機都係想娛樂自己,最好梗係唔好咁多麻煩上身,例如要下載、安裝隻Game咁,怕自己部電腦唔夠快而玩唔到,嚇到女仔都怕怕。今次你哋可以放心喇,因為〈Web〉唔使下載,可以直接上網玩,所以呢隻Game喺日本大受歡迎喋!

其實⋯我係劉備!

遊戲裡面亦設有商店,道具可以提高戰鬥效率。

### Web恋姫†夢想
乙女満載♥三国統一シミュレーション

〈Web恋姫†夢想〉
遊戲制式:網頁
遊戲類型:策略
遊戲代理:Gamania遊戲橘子
推出日期:即將推出
官方網站:http://www.web-kh.com.hk

# 掃盡全新Kawaii文具
# 返學曬冷！

瞬經唔覺已經開咗學都兩個幾月，開學之前買落嘅筆呀、簿呀都用得七七八八，仲可能越睇越唔順眼，想換返啲更靚更實用嘅文具。咁啱呢排天氣轉涼，人要換秋、冬裝、文具一樣要換新嘅先得！一批新潮Kawaii文具全部蒲頭，一於掃盡佢，返學Show Off吓都好吖！

## 轉冬天 照玩鮮艷！

雖然而家係秋冬季，但係好多新貨到港嘅日系文具都一樣Keep住咁鮮艷同可愛。呢幾年好多後生仔女都鍾意著花樣圖案嘅冬天衫，如果買埋下面嘅鮮色文具，出去補習真係靚絕全場呀！

筆記簿除咗要靚之外，當然亦要夠實用喇！左邊每本介紹嘅筆記簿都份量十足，唔係得個樣㗎！

panda days系列筆記簿（藍・粉紅）$35@

鬆弛熊系列筆記簿 $32@

## Cutie貼紙

鬆弛熊系列貼紙 $25@

## 浪漫之「紙」

Sanrio卡通系列特色信紙 $25/@

大大張信紙

靚靚貼紙

花樣信封

雖然而家先至11月中，但係唔少同學已經買定聖誕卡，用嚟送俾身邊嘅朋友，如果用埋下面嘅貼紙仔貼落聖誕卡度，一定靚到爆呀！

每張貼紙都有唔同嘅鬆弛熊造型，真係點鬆都得呀！

靴下貓、鬆弛熊系列信紙連信封 $35-38@

唔知你有冇鍾意嘅人呢？如果有嘅話可以親手寫封信寄俾佢，真係誠意十足呀！所以信紙好重要㗎！用一張靚爆嘅信紙寫情信俾心上人，一定浪漫到死，對方仲會對你印象加分添！

## 可愛Memo、一眼睇到

靴下貓系列Memo紙（細）$10@

鬆弛熊4格Memo紙（連迷你擦膠）$23@

無論補習定係記低重要嘅嘢，都會用Memo紙貼落本書度，貼一張又可愛、又搶眼嘅Memo紙，一眼就睇得到，即刻將要記嘅嘢記晒入腦！

## 七彩原子筆

My Melody透明原子筆 $59

只要搖一搖支筆，My Melody仲識郁㗎！

Little Twin Star 5色原子筆 $59@

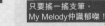

Tuxedo Sam企鵝仔原子筆 $45

櫻桃小丸子原子筆 $55

鬆弛熊原子筆 $49@

鬆弛熊系列原子筆 $38@

Text_雞　Photo_Guy　Art_Ravi

售賣點：
「征服世界」旺角通菜街2A號鴻光大廈地下B舖
（查詢電話：2783 0172）

少年古惑Profile
法號：古惑（讀音：股Ret）
特徵：〈yes!!〉開山祖先少
年古城嘅入室弟子，取法號為
「古惑」，盡得師傅真傳。由
於眼見香港各大無良集團紛紛
使出古惑陰招，為咗令一眾市
民唔好再俾奸商過一棟，決定
企出嚟為大家討回公道。
格言：唔啱就要鬧，衰就要
認，打就要企定。

# $0機價買iPhone 4S
# 至抵上台大檢閱

自從上星期五開始，每次出親街都見到啲電話舖排晒長龍，因為個個都爭住買
iPhone 4S囉！睇喫你都心郁郁想換返部喎！大家多數都會揀上台轉Plan，因為可
以以$0機價將iPhone入手，究竟咁多間電話網絡供應商，邊間上台價至係最抵？唔
想俾電訊商賺到盡，就要留意至抵上台大檢閱喇！

## iPhone 4冇平過

雖然iPhone 4S開賣咗，但係唔代表iPhone 4有得平，咁多間電訊商都冇乜下調舊機月費價錢，所以大家都係
買4S好啲喇。不過少年古惑八到有啲舖頭暫時淨係接受現金同EPS買機，如果你冇現兜兜5千幾蚊喺手，都
係靠屋企人幫你手碌卡簽約上台罷喇！

iPhone 4S開售前幾個鐘，周圍都排晒長龍。

冇現金可以揀轉Plan上台，不過都要排隊。

# 4S上台大格價

暫時正式有得上台換iPhone 4S嘅網絡商有4間，其中比較多後生仔女用嘅係3、SmarTone同埋one2free，究竟邊間上台至抵呢？而家一於同大家慢慢分析。

## 鬥月費平

所謂嘅$0機價，其實係要用信用卡預先俾機價，但最大問題係間間網絡商都要你喺基本月費再俾隧道費、增值服務咁，實質月費真係貴到喎。假設你想買一部16GB 4S兼有無限數據嘅Plan，暫時SmarTone同3以每月$446包隧道費同增值組合就最平。

和記3 **贏** $398

SmarTone **贏** $398

one2free $419

無限數據上網$398+隧道費$12+增值組合$36=每月$446。

無限數據上網$398+隧道費$12+增值組合$36=每月$446。

無限數據上網$419+隧道費$12+增值組合$36=每月$467。

## 鬥數據選擇多

其實未必每個人都成日用手機上網或者不停上網下載，所以想平平哋揀個幾百MB數據計劃就夠喇，月費仲平一大截添！少年古惑發現，3同埋one2free都有4個數據Plans俾大家揀。除咗無限數據，以one2free可以揀到嘅數據量係最多，可以有800MB嘅Plan；反而3同SmarTone就最大得500MB嘅Plan俾你揀。

### 和記3

| 月費計劃內容 | | | |
|---|---|---|---|
| | 100MB | 200MB | 500MB |
| 本地數據用量 | | 其他數據收費 $0.01/KB | 任用 |

100MB、200MB、500MB、任用

### SmarTone

| 月費 | $138 | $248 | $398 |
|---|---|---|---|
| 本地數據用量 | 150MB | 500MB | 無限任用 |

150MB、500MB、任用

### one2free

| 本地流動數據用量(MB) | 200 | 400 | 800 | 無限# |
|---|---|---|---|---|

200MB、400MB、800MB、任用

## 鬥送嘢多

除咗價錢之外，跟計劃送嘅特別優惠亦係考慮因素之一，好似3送嘅全年睇戲通行證就幾抵玩，反而SmarTone最特別都係送吓保護貼，唉！家陣自己買唔到咩？

### 和記3 **贏**

獨家「3Screen嘉禾院線全年通行証」[3]，逢星期三可於嘉禾院線3Screen換領免費戲票一張

| | 原價 1年 |
|---|---|
| AppleCare全方位服務專家[1] | |
| 1年手機失竊保障[2] | |
| 獨家「3Screen嘉禾院線全年通行証」[3] 逢星期三可於嘉禾院線3Screen換領免費戲票一張 | |
| 3展社交講壇全年通行証[4]「二人必享・一人價錢」優惠 | |
| 無限Wi-Fi，特設Auto-login功能，自動連接3香港Wi-Fi熱點[▼] | |
| 首15個月每月額外400本地語音分鐘或200MB本地數據[只限調頻組合] | |
| 2免費iBooks[5,6]，KKBOX[6]及Amplet[6] | |
| 獨家禮遇-Dropbox額外2GB儲存空間[6] | |

1年手機失竊保障、全年睇戲通行證、免費額外200MB數據等等。

### SmarTone

憑卡出 iPhone 4S，仲送你 iPhone 4S 保護貼一套

保護貼1張，多謝晒！

### one2free

新聞、財經、娛樂頻道及360隨身TV分鐘

請你睇手機電視，普通咗啲啵。

## 和記3贏！

而家個個都靠WhatsApp，少咗用SMS傾偈，所以都冇乜人會貪同台SMS唔使錢，而限死用邊個服務商，所以價錢平、數據多、送禮勁先係最重要。總括嚟講，和記3可以話係至抵上台嘅電訊商，恭喜晒！

都話我贏㗎喇！（設計對白）

大晒咩!?

## 再平啲！GPRS上網Plan

如果你仲嫌3百幾4百蚊買4S上網Plan好貴，其實仲有人仔台（中國移動）、新世界俾你揀。如果唔計4S機價嘅話，最平$60左右就有得無限上網，不過係用GPRS或者EDGE格式上網，上facebook都勉強OK，如果上YouTube就唔使諗喇！

好似人仔台咁，久唔久都會做學生GPRS上網優惠，用嚟WhatsApp都好夠㗎喇！

# hot gear
# Samsung 玩新 Note
# 電話、Tablet一機過

6.5inch
大芒

喺上個禮拜五,蘋果終於喺香港正式推出iPhone 4S,搞到間間電話舖都排到水蛇春咁長,個個都爭住買新機。同一時間,Samsung亦大力加推多個旗下GALAXY系列迎戰,早喺10月公佈推出Nexus手機,而11月更大玩新「Note」,集手機同平板電腦功能嘅全新GALAXY Note,仲要同iPhone 4S同一日喺香港正式發售,誓要同對敵惡鬥!

## 大搞發佈會

其實呢部Samsung GALAXY Note已經喺歐洲發表過,而家正式登陸香港。貴為一部主打旗艦級嘅Android手機,仲要搶先同iPhone 4S力鬥,實力一定有返咁上吓嘅。向上星期Samsung亦搞咗個隆重發佈會,亦請嚟幾位香港著名插畫同設計師即場同大家講吓呢部機有幾好玩添!

今次發佈會喺某個大型商場舉行,吸引咗過百位嘉賓同傳媒到場。

著名插畫師Chocolate Rain亦大讚GALAXY Note好好玩!

除咗手機之外,仲有一系列手機配件展出。

# 逐格Look、睇潮「Note」

Samsung GALAXY以手機加平板電腦做賣點，即係話有時大家以iPad、GALAXY Tab 呢類平板電腦所畫嘅繪圖、或者記低好深入嘅用戶資料等等，呢部機都一樣做得到，究竟有幾正？一於逐格Look、睇潮「Note」喇！

## 第一Look 流動小畫家

雖然有啲Apps係可以俾用家Download之後畫畫，不過都係純粹玩居多。但係GALAXY Note 裡面有枝獨創嘅S Pen觸控筆，可以輕易Cap圖之外，亦可以俾你發揮最大創意，喺S Memo裡面畫畫畫；甚至喺地圖上面寫字都得，仲勁過小畫家！

小記示範作

亮麗

隨機身附送一枝觸控筆俾大家畫畫。

## 第二Look

### 5.3吋特大Mon

每一次三叔賣手機，個Mon 都越整越大，好唔好就見仁見智喇！不過GALAXY Note講到明要做到平板電腦嘅功能，咁5.3吋Mon真係啱啱好。加上佢仲有埋HD Super AMOLED屏幕，顯示到1280×800高清像素，的確係視覺享受！

5.3吋屏幕夠晒闊，連一版嘅Widget都放到20個或以上。

## 第三Look 薄到爆！

而家部部手機都鬥薄，之前三叔部GALAXY S2已經好鬼薄，就算今次GALAXY Note連埋一枝觸控筆，機身都係得9.65mm厚。好多人都彈S2機身輕到時時揸唔穩部機咁，但GALAXY Note嘅手感亦比S2好、有返少少重量同手感。

機身薄過手指甲位！

## 第四Look

### 一樣有Voice talk

大家買得iPhone 4S都係貪佢有Siri功能，但GALAXY Note都有Voice talk功能，一樣可以指令手機做嘢。

Voice talk

## Samsung GALAXY Note

解像度：1280×800像素（5.3吋）
拍攝鏡頭：800萬像素CMOS
處理器：1.4GHz雙核處理器
作業系統：Android OS 2.3.5
價錢：$5998

## Android平機選擇！

三叔旗下嘅GALAXY系列一向係玩開中高階嘅手機，但今年就推出一啲千四蚊有找嘅平價手機，仲有埋Android系統可以Download Apps嚟玩，對要求唔高嘅你，一樣可以平價投入智能手機世界。■

## Samsung GALAXY Y

解像度：320×240像素（3吋）
拍攝鏡頭：200萬像素CMOS
上網功能：HSDPA、Wi-Fi等等
作業系統：Android OS 2.3.5
價錢：$1398

今次我哋要扮
女人聲唱歌！
（設計對白）

# K-Pop迷必讀！
# Apps上唱爆韓文歌

少女時代、SHINee、東方神起、2PM、KARA、Miss A、Super Junior…係唔係聽到都已經好興奮呢？近年韓風大熱，啲K-Pop又鬼咁好聽喎，家陣啲後生仔女就算唔識韓文，都識得哼返兩嘴K-Pop喇！今期「softhard」就會介紹呢個韓國本土出嘅唱K App俾大家，呢個App嘅K-Pop話唔定出得快過Neway呀！

## 我要唱K-Pop！

今次要介紹呢個App叫做〈zillerSong—Plus〉（韓名：태진누래반·힐리칠Plus）。但係一個俾你用嚟唱K嘅App，雖然成個版面都係韓文，睇落去可能令你一頭霧水。不過唔使驚，大家只要跟住以下嘅Steps做，你都可以搖身一變成為K-Pop達人！

## 錄歌7步曲

### Step 1

最底下有5個Icon，撳最左嗰個「舉手指公」Icon就會出現下面嘅畫面。

### Step 2

第1行就係「人氣歌曲」，呢度集合咗排名最高嘅歌曲喎！等我哋一齊睇吓韓國而家最興嘅歌係邊幾首先！2NE1嘅「ugly」、「Lonely」；IU嘅「好日子」同埋Miss A嘅「Good Bye Baby」都榜上有名呀！

**Step 3** 撳入「精選MV」，大家即刻可以睇到心愛偶像嘅高清MV！

▲雖然係Link去YouTube睇片，但啲質素真係幾高清喎！

**Step 4** 好喇！咁我哋第而家撳去左邊第2個「放大鏡」Icon喇！大家想要咩歌，只需喺呢條Bar度打個名就得㗎喇，咁今次我哋就試吓Search T-ara嘅「Roly-Poly」先，咦!? 真係有㗎！

**Step 5** Search完Click入去就會開始播音樂喇！大家見唔見到右上角呀？有個錄音系統會錄低你唱歌㗎！準備3、2、1，唱喇！

**Step 6** 錄製完成！快啲入去個File度聽返自己嘅大作喇！

▲Click吓個「手提電話」Icon。

**Step 7** 跟住就會出現你嘅所有大作㗎喇！快啲同你嘅朋友開心Share喇！

▲呢個唱K App，除咗會幫你錄歌之餘，又可以試聽韓國最Hit嘅新歌，仲可以睇埋MV，最重要係免費添呀！身為超級韓迷嘅你，又點可以錯過呀!?

《zillerSong—Plus》
（韓名：태진노래방：질러쏭Plus）

收費：免費
支援平台：Andriod、iPhone、iPod touch、iPad
（iOS 4.3或以上版本）

# 西貢蠔涌 猛鬼錄影廠

## 玩命・招魂・展開!!!

上期和大家提到,〈yes!!〉靈探小隊聯同呂法傳師傅等一眾人,去到位於西貢蠔涌的亞視舊廠房作一次實地考察。由於現場環境危機四伏,不時有潛藏危機,很容易令人失足墮下,所以令這次靈探的難度大增。雖然一路上都風平浪靜,不過到中後段的時間,先有小金毛聽到怪聲,繼而又在1樓的Canteen發現了一個神位。於是我們便決定在此做個測試,看看內裡是否真的有靈體存在。

# 招魂行動升級！
## 紅傘子聚陰

呂師傅先在紅傘子作法。

幾乎每次靈探，〈yes!!〉靈探小隊都會作不同形式的測試。而中國法科內的招魂儀式是最常用的一種測試。今次，我們在呂法傳師傅的協助下，決定將招魂儀式升級，除了叫Allie獨自一人在房內感應是否有靈體之外，呂師傅更準備了一把紅傘子，上面加了4道靈符，企圖吸引附近的遊魂野鬼前來。因為相傳靈體喜歡走進雨傘內，所以有一個禁忌是說室內不可打開傘子……但由於此招魂儀式具備一定風險，所以我們給了Allie一部對講機，一有任何風吹草動，我們也可作即時營救。

Allie只可攜帶一枝大蠟燭及對講機進房間，並要全程依照師傅吩咐行動。

期後在紅傘子上貼上4道靈符，更擺放了蠟燭台、陰司紙和招魂表章等。

之後我們一眾人離開，只餘下Allie一人獨自留在房間內。

## 招靈期間
## 攝錄機疑斷片？

正當Allie依照師傅吩咐宣讀招魂表章、燃點起蠟燭台、化去陰司紙後，她就要獨自在房間感應靈體。期間，我們只留下一部攝錄機捕捉整個過程。不過事後我們翻看錄影帶的時候，就發現有部份影像突然離奇消失，像是被人故意暫停攝錄，然後又繼續錄影一樣……這斷片的現象，可算是今次靈探以來，其中一樣匪夷所思的事。

房內鴉雀無聲。

呂師傅在對講機吩咐Allie宣讀招魂表章。

然後點起身邊所有蠟燭台，並圍著自己一圈排列。

只留下一部攝錄機捕捉整個過程。

事後發現部份錄起的影像，突然無故消失。

# 密室 陰風陣陣

暫時不談攝錄機離奇斷片的問題,話説Allie一人獨
自在房內招魂時,亦發生了一段小插曲,當她化去
所有陰司紙後,準備拿著大蠟燭和紅傘子與我們會
合的時候,房內突然傳來一陣怪風。由於現場環境
沒有窗戶,亦沒有任何通風口,所以最初房間內
非常侷促。但Allie手上拿著的大蠟燭,不時被怪風
吹得差點熄滅……幸好Allie最後很勇敢地一人走下
來,與我們會合。事後小金毛稱:「裡面嘅靈體應
該冇惡意,收完錢就走……」

Allie依照師傅吩咐,化去所有陰司紙。

雖然現場是一個密室,可是Allie事後稱她背後不時傳來一股寒意。

Allie一邊擔起紅傘子,一邊拿著蠟燭,小心翼翼地沿樓梯而
下與我們會合。

# 兩女共處齊招魂!
## 驚聞怪聲

由於一度懷疑在1樓的Canteen有靈體出現,為了查明真相,於是鬼
王P、小金毛與呂師傅等人拾級而上,發現剛才Allie所稱的陰風已消
失得無影無蹤了,現場依舊是侷促得很,於是大家便懷疑可能是我們
陽氣太盛,嚇走了剛才的靈體。於是我們這次再叫兩位大膽女團友
Holly和Yuki,同時在房內感應是否有異樣。結果事後兩人都不約而同
的説:「正當我哋燒陰司紙嘅時候,就聽到房外面傳嚟幾下好大力嘅
拍門聲……」由於當時除了她們
兩人外,其他人就在地下等待,
所以已排除我們當中有人作弄她
們,究竟是她們
有錯覺,還是有
貪玩的靈體在騷
擾她們呢?

由於懷疑有靈體在現場
出現,所以師傅再作一
次法。

兩位大膽女團友Holly和Yuki在房內招魂。　　Yuki化去手上的陰司紙。

最後兩人沿樓梯而下。

## 小金毛・疑撞邪?

小金毛在錄影廠內到處拍攝。

期間，懷疑「撞邪」的小金毛身體感到不適，所以我們請有學法的呂師傅徒弟Yuki為他「封身」。

正當兩女在招魂期間，小金毛打算用他已開光的靈異照相機到處拍照片，豈料中途他突然感到一陣暈眩，懷疑中途不小心開罪了靈體，所以呂師傅弟子Yuki立即為他作法「封身」……幸好事後他並沒什麼大礙，安然回到家中。

## 後記 各人事後有感

這次靈探除了鬼王P、小金毛和呂師傅外，其實亦有兩位資深的靈探達人出席，分別是許樂和凱提風，他們亦有不一樣的感應。

**Allie**
「其實我一個人喺房裡面嗰時候真係好驚。嗰吓寒氣真係好真實！一啲都唔似係幻覺，而家諗返起都有啲驚，下次都唔咁再試！」

**靈異小金毛**
「亞視舊廠呢度真係陰氣好盛，未入嚟之前我已經Feel到入面有嘢，加上附近有個車公廟，靈體最鍾意喺附近聚集。好彩我哋今次遇到嘅都係善意嘅靈體多，唔係嘅話……」

**Holly**
「我同Yuki喺招魂期間，都聽到有『人』好大力喺出面拍門，嗰幾下拍門聲，好似話俾我哋聽：『放我哋出去』咁……」

**許樂**
「其實今次亞視舊廠嘅靈體感應唔係好大，不過附近真係有靈體喺度，善意同惡意嘅靈體都有，所以真係唔好立亂走入去玩！」

**凱提風**
「其實莫講話呢度有冇鬼，就算冇鬼呢度都好危險。一嚟天花板隨時會冧，二嚟1樓有道門一打開係冇嘢嘅，隨時會跌落地下。」

**少年鬼王P**
「我喺度奉勸各位，唔好學我哋咁膽粗粗去靈探。如果冇足夠嘅資料搜集同探路，分分鐘有得去冇得返！」

**Yuki**
「喺未嚟呢度之前我都唔係好驚，不過叫我一個人招魂嘅話，我真係唔夠膽，好彩有Holly陪我……」

**呂法傳師傅**
「征服完呢次亞視舊廠之後都有唔少收穫，首先係小金毛同Holly等人聽到怪聲，而Allie又喺招靈嗰陣Feel到陰風陣陣，而中途攝錄機亦發生過斷片嘅情況，真係匪夷所思。期待下一次同〈yes!!〉靈探小隊再去靈探。」

**Alan**
「我最有興趣知道諗入面有啲乜也，雖然打唔開道門，不過裡面一定有唔少靈體喺度。」

Text_少年鬼王P　Photo_Jeffrey　Model_Allie Tang@First Cast
Special Thanks_呂法傳師傅　Assist_靈異小金毛　Art_Moni

# 飄流凶間

位於郊區，有一幢神秘的古老大屋，表面上平平無奇，和一些日久失修的屋子一樣，屋的四周長滿長春藤、外牆亦已殘破不堪。鬼屋荒廢多年，至今都不曾有人在此居住過。但鬧鬼的傳聞卻不絕於耳。

一個深夜，一群年青人來到鬼屋面前，肆無忌憚地大聲談笑著。

10多名年輕人中有男有女，因為年少氣盛，聽了鬼屋的傳聞後便到這兒一探究竟。這幾名年輕人真是膽大包天，入夜後不但在鬼屋裡留宿，而且還提議在這裡玩捉迷藏。

「不好吧…」在這群年輕人中，一名高瘦的男生遲疑著說。但提出玩躲迷藏這主意卻是他的親弟弟，他弟弟向來是個膽大妄為的人。

「難得山長水遠來到這裡，我們應該玩得盡興一點。」弟弟聽不下哥哥的說話。因為他弟弟除了在工作上表現出色外，還和老闆的女兒交往得十分順利，所以很意氣風發，二人正打算在秋天結婚。

他說不過弟弟，最後一群人便在深夜的鬼屋內玩躲迷藏遊戲。剛開始時，大夥都玩得還算盡興，然而到了凌晨時份，卻發生了一件令人無法置信的可怕事件。

在其中一次躲迷藏中，至少有兩個人看著弟弟躲進某個房間內，可是從此之後，他好像溶化在空氣中，再沒有出現過，就像在人間永遠消失了蹤影。

這是一次完美的失蹤事件，事情發生之後，這群年青人好像是發了瘋般在鬼屋中翻遍每一個角落，最後還是找不到他，後來還報了警，警方派出搜索隊，在附近展開搜索。

然而，就如同之前所言，這是一件絕對完美的失蹤案件，這弟弟從此再也沒有出現在人間。

一年時間快過去了，在弟弟失蹤滿一周年這一天，哥哥再次來在鬼屋面前，因為他覺得，有件事一定要向弟弟說的。

因為這一年來，那個本來是他弟弟的未婚妻，就因他陪著老闆的女兒，度過了難熬、哀傷的日子，兩人互生情愫。

入夜以後，鬼屋四周仍是一片絕對的死寂。哥哥獨自躺在弟弟失蹤的房間內，正打算喃喃對弟弟說話，卻聽見附近傳來極為模糊的聲音：「放我出來…放我出來…」

哥哥隨著聲音的來源，看見了令人目瞪口呆的景象……

原來弟弟在房屋的牆壁內，此刻已成了一個深邃的空間，他的弟弟無助地漂流在其中，絕望地放聲大叫。

「放我出來…哥…放我出來…」

看見眼前如此詭異的景象，哥哥想起這一年來，又想起那女孩的面容，究竟他要不要伸手救弟弟呢？他害怕自己救了弟弟，現在所擁有的一切也變成空……

經過許久的內心交戰，哥哥還是沒有伸手去救弟弟。隨著太陽上升，這個深邃空間也逐漸模糊。最後，弟弟那悲痛的聲音也漸漸消失了。

在其後的歲月裡，有關弟弟的記憶就慢慢在大家的心目中淡忘，哥哥在不久後順利和老闆的女兒，即原先是弟弟未婚妻的女孩結婚。婚後哥哥將企業打理得非常出色。在短短10年間，便將原先的中型公司擴張成跨國大企業。現有的他，可說是婚姻美滿，事業有成……

只是，午夜夢迴之際，哥哥也會想起那幢埋藏著不快回憶的鬼屋。哥哥在發跡不久後便買下這幢鬼屋，沒有人知道為什麼他會買下這幢古老大屋，並且在四周圍設置嚴密的警戒網，除了他以外，沒有任何人可以再進去，就連他的妻子也不行。

到了哥哥45歲那年，他有一次發燒後許久仍未退去，從醫生得知自己患了血癌，除了骨髓移植之外，已經沒有別的方法能挽救他的生命。

「但是，我們並未找到合適的骨髓。」醫生沉重地說。

眾所皆知，哥哥雙親都已經過世，他和妻子也未有小孩，一切似乎都已經絕望……

但這時候，在哥哥的腦海中浮現出一幢鬼屋的影像……

這天，剛好是弟弟失蹤的那一天，哥哥獨個兒坐著輪椅，來到鬼屋那四度空間的連接點上。弟弟看見哥哥病入膏肓的樣子，感到很驚奇。

「我欠你的，我會加倍還給你……我的一切，都會和你分享。我現在患了血癌，求你把你的骨髓分給我吧！」他啜泣地說。

弟弟點頭默許，於是哥哥從四度空間救他出來。

弟弟回到哥哥的豪宅，看見許多名車駿馬時都沒什麼反應，只是在看見嫂嫂時，眼底深處閃過一陣深沉的痛楚。

化驗報告出來了，弟弟的骨髓和哥哥完全吻合，絕對適合骨髓移植。醫生在最短時間內安排移植手術，哥哥在病床上百感交集。然而，在進行手術的前一刻，卻聽到病房外有人尖叫。

「手術時間快到了，為什麼外面這麼吵鬧呢？」哥哥心想。

原本在醫院天台上，弟弟將身上淋滿汽油，沉靜地站在欄杆上，俯望驚疑的人群，然後將全身點著火，在爆裂而出的火光中，他縱身跳下20多層的高樓。

「請轉告我哥哥……」臨死前，他靜靜地說道。

「他拿走了我的一切，而我卻要藉著死神將他拿走。」

# ghost buster

## Q1 靈「睇」

**To：小金毛**

你好呀！我第一次Send信嚟嘅，有啲問題想問吓你，希望抽中啦。

係咁嘅，9月23號我同班Fd去咗海洋公園哈囉喂玩，咁佢哋就同咗隻人扮鬼嘅鬼影咗幾張相，我係用手機影嘅，不過由於當時我幫Fd揸機，所以我部手機就俾其他工作人員幫我影，咁起初都右乜嘢。不過我有日，無意中留意到手機嗰張相多咗道綠光，長度大概佔咗張相3份之1，搞到我都唔知點解，有啲驚又有啲好奇。
Q1. 我想問點解會無喇喇多咗道綠光？
Q2. 發現綠光之前兩日我搬咗屋，關唔關事？但係我阿媽有拜四角喎。
Q3. 發現之後，我Delete咗張相，仲有冇啲手尾要跟？
Q4. 我右得罪過啲咩嘢，但係發現之前一日我跌過吓部手機，而且都跌得幾甘，又關唔關事？
問咗咁多嘢，希望你答到 ><

**By 得得**

**To：得得**

A1. 嗯嗯嗯！從科學角度理解嘅話，我哋影相嗰時，相機係好容易俾現場嘅燈光影響到嘅，再加上海記哈囉喂啲燈光都比較詭異，當相機個快門開合嘅時候，可能突然有道綠光射咗入去，咁影出嚟張相就會出現一道綠光，搞到你以為呢張係靈異相喇……不過小金毛都唔排除真係有靈體喺你影相嘅時候出現，因為海洋公園係依山而建，山上面啲靈體見到咁多人喺度開Party，佢哋就會走埋出嚟一齊玩，見你影相嗰時咪同你影埋一份，所以就算影到鬼都唔奇喇！

A2. 你搬屋係屬於你家人嘅決定，所以應該同你影到靈異相有關，若果你新屋右咩特別事發生過，入伙嗰時拜咗四角，安放好土地，咁就一定平平安安喫喇！除非喺海洋公園撞到嗰位靈體嘅法力高強，唔怕你個土地仲可以入埋屋度喇，哈哈哈……（詭異笑聲）

A3. 一般嚟講，影到靈體相嘅人，都會為求安心Delete咗張相。不過小金毛影到靈異相係唔會Delete，仲會存放喺電腦，到暫時為止都未出過事。如果你心靈上接受唔到嘅話，咁Delete咗張相都可以俾自己一個安心，咁就一定冇手尾跟，因為你個心一亂就右咗交感，佢分分鐘都可以搞到你，所以為求安心Delete咗佢喇！

A4. 你咁樣諗未免太過迷信喇！你諗你似好多嘢都會同靈體扯上關係，你部手機跌咗落地，係你個人唔小心至整跌部電話啫，所以絕對唔關靈體事。如果你成日咁諗，只會加強你嘅負能量，萬一因為咁樣而打開咗你同靈界嘅大門，咁你分分鐘會見到靈體，所以你真係要多多注意，知唔知呀？
祝生活愉快

**靈異小金毛**

## Q2 陰陽眼

**To：靈異小金毛**

你好小金毛！我叫阿Dee，係第一次寫信嚟嘅！抽中我！Please！
我想問點先可以見到鬼呀!!我好想吓吓呀!!想睇吓佢哋係點樣（係唔係好恐怖）!!係唔係可以開陰陽眼嚟!!開咗真係見到???
如果要開陰陽眼喺邊度開呀!!同幾錢呢？開咗係唔係唔可以封返佢喋？我同我啲朋友都好想一齊去靈探呀！我俾個電話你呀!!
6×××××8!!
Please Call Me!!

**ByDee**

**To：Dee**

你好呀Dee！好高興收到你嘅來信!!!等我幫幫你解答喇…哈哈!!
如果你想見鬼嘅話，小金毛勸你千祈唔好有咁諗法喇！我估你大概都係20歲以下，如果你20歲之前見過第一次鬼嘅話，咁你以後就有好多機會會再見到佢嘅，到時你想唔見都幾難。再者如果你本身右陰陽眼，你千祈唔好諗住打開佢，因為打開咗之後，就算你之後想瞇返返對陰陽眼都幾難，正所謂易開難合，到時你就後悔莫及喇！
至於價錢方面，你可以向坊間嘅師父問吓，多數都係因人而異，少則幾千蚊，貴則幾千蚊。
另外你問鬼係點樣，小金毛可以形容吓俾你知，鬼唔係一個實體，所以係右一個固定嘅形態，佢哋個樣貌會透過你嘅思想反射出嚟，佢哋通常會幻化成你最驚嘅樣出嚟嚇你。
如果你想靈探嘅話，只要你超過16歲，而且有極高嘅服從性都可以試吓嘅。如果唔係嘅話，基於安全理由，你都安在家中睇每期〈yes!!〉靈異專欄同「靈異小金毛信箱」好啲喇^^
祝學業進步

**靈異小金毛**

**To：靈異小金毛**

我係男仔，今日行返屋企嗰陣，突然Feel到一啲嘢，個腦突然浮現咗我係一個女性，仲見到我變成女仔曾經有著衫影過相……

A1：我係咪望到前世或下世嘅事？
A2：有冇可能將1個女靈體經過我時，將佢過往一生嘅嘢同我個大腦連接咗，所以俾我睇到佢一生？
A3：我想問吓有咩方法靈魂出竅？可唔可以教吓點樣靈魂出竅??
A4：靈魂出竅有咩要注意??
A5：靈魂出竅有咩後果同危險??
麻煩晒你x99999

By EwD

**To：EwD**

你好呀，好高興收到你嘅來信，歡迎歡迎!!!

A1. 經小金毛分析之後，相信你見到嗰啲片段係你前世嘅影像，每個人前世嘅記憶係會潛藏喺自己嘅靈魂入面，但係因為大家前世死嗰時要飲孟婆湯，所以會暫時封印咗前世嘅記憶。但係呢啲記憶可能間唔中喺一剎那出現，好似錄影帶咁喺你個腦度播。身體只係一個軀殼，只有靈魂同記憶先會自己永久記存，所以你唔使太驚。加上你回憶到前世發生嘅嘢，可以知道多啲自己嘅過去，可能係一種暗示，會影響你日後做嘅決定㗎。

A2. 如果你同靈體擦身而過，佢哋係唔會俾咗啲記憶你㗎，除非佢上咗你身，控制埋你個大腦喇，咁佢哋就可以將你嘅記憶同佢嘅記憶同步發放，所以好似小金毛上面咁講，嗰啲只係你前世嘅記憶，所以唔使再作無謂嘅推測喇…^^

A3. 靈魂出竅呢個行為，係絕對唔可以私自行動。如果你想試吓靈魂出竅係點，你可以報讀坊間嘅靈魂出竅課程，到時會有專人教你靈魂出竅嘅方法。不過講真呢啲嘢真係唔好亂試，因為係帶有一定嘅危險性，有機會靈魂出去返唔到㗎喇。

A4. 以小金毛所知，如果靈魂出竅嗰時見到有光嘅地方就千祈唔好行過去，因為嗰啲地方可能會通去其他世界，令你永遠返唔到㗎現實世界。如果靈魂出竅途中有人叫你，你千祈唔好應或者望佢哋，因為嗰時可能係靈體叫你，你應咗嘅話，分分鐘會俾佢哋拉走，到時你就會變成植物人，永遠都醒唔返嘅㗎喇…驚sssssssssss

A5. 每個人嘅體質都有唔同，所以靈魂出竅之後都會出現唔同嘅反應，有啲人靈魂出竅之後，個人會精神啲；有啲人就會變到呆呆哋，好似三魂唔見咗七魄咁，所以靈魂出竅嘅風險係相當高。小金毛都未試過，所以唔知會發生咩事。如果你真係諗清楚，問吓自己承唔承擔到個後果先好試，因為開始咗就冇得後悔㗎喇…

祝福壽康寧

靈異小金毛

---

# 一周恐怖短片

一直以嚟，facebook嘅〈yes!!〉靈探小隊群組都非常受大家歡迎！而近日我小金毛就喺網頁上搵到唔少靈異短片，真係睇到人心都寒晒……究竟啲靈異短片係真定假？就交俾我小金毛同大家分析吓喇！

## 葵涌撞到鬼魂

呢段聲稱喺葵涌永基路拍嘅短片，懷疑喺片段入面第1秒到第3秒，影到一個疑似黑影好快咁經過。之後又喺第19秒到第22秒之間，都影到黑影……不過以小金毛所知，嗰條路入夜之後就絕少人經過，所以有靈體出現一啲都唔出奇。

網址：http://youtu.be/Yg9SpYg2QBs

## 地獄公園

胡慧沖喺一個節目講述泰國有個地獄公園，裡面模擬咗十八層地獄嘅情景。而當胡慧沖訪問附近嘅職員嗰時，佢哋仲話不時聽到怪聲同見到怪事，更有大師話嗰度住咗兩隻遊魂野鬼……小金毛睇到嗰度極之陰森，有陰靈聚居都係正常嘅，只要唔主動打擾佢哋就冇事喇！

網址：http://youtu.be/L8i2DEZFnL8

## 養鬼仔

泰國人鍾意養鬼仔，所以靈異節目DJ潘紹聰都去咗香港一間泰國佛台，訪問咗賣同買鬼仔嘅人嘅心理。片入面見到一對夫婦放咗一個巨大鬼仔架手推車度，真係睇到人極之不安。依小金毛嘅見解，好人好者冇乜必要都唔使養鬼仔催運，所以多數係撈偏門生意嘅人先會拜。

網址：http://youtu.be/I2am8KyitRA

be a model

Join Us

recruitment • recruitment • recruitment • recruitment • recruitment • recruitment • recruitment • recruitment • recruitment • recruitment

姓名： ⬭⬭⬭⬭⬭⬭⬭⬭  出生日期： ⬭ 年 ⬭ 月 ⬭ 日    年齡： ⬭

學校名稱： ⬭⬭⬭⬭⬭⬭⬭⬭  或職業 ⬭⬭⬭⬭⬭⬭⬭⬭

胸圍： ⬭ cm  腰圍： ⬭ cm  臀圍： ⬭ cm  身高： ⬭ cm  體重： ⬭ Kg  鞋號： ⬭

住址： ⬭⬭⬭⬭⬭⬭⬭⬭

電郵： ⬭⬭⬭⬭⬭⬭  電話： ⬭⬭⬭⬭  手提： ⬭⬭⬭⬭

興趣： ⬭⬭⬭⬭⬭⬭  個性： ⬭⬭⬭⬭⬭⬭

填妥表格請連同3張單人近照，包括完整大頭、半身及全身，

寄往觀塘鴻圖道51號保華企業中心8樓**Megalink International Communications Ltd.**收，

或將個人資料連同照片電郵至**model@firstcast.com.hk**。

＊合照一律作廢

# cd1st
First Cast Model Agency

作者：陳芷雪

升降夢魘鬼

「慢著等一下!!! 拜託等我一下！」

在校內忙完做家課的小強，看見升降機門快要關上，便立即跑上前大聲請求升降機內的人可按著「開門」鍵等他一會。當小強快要走到升降機門前，升降機門已經關上，正當小強絕望之際，升降機傳來「呸呸」聲，眼前的升降機門緩緩打開，裡面的人以不滿的眼光看著小強，原因很簡單，因為小強浪費了他們寶貴的時間。

小強迅速跑進升降機，看到他們的眼神充滿不滿，小強也滿感抱歉。站在按鈕的白衣女生以柔和的聲線道：「請問你要往哪一層？」小強頓時呆了，因為他聽到一把熟悉的聲音，這聲音帶給他莫名的親切。

半年前，小強愛上了就讀同一所學校的校花學妹，她叫小美。有天小強鼓起勇氣向她表白，原來她也喜歡他，從此兩人便開始相戀。直到有一天，一番恥笑小強的說話傳到他耳邊：「真是的…那男的癩蛤蟆想吃天鵝肉」、「美女與野獸」、「校花妹妹太慘了」……小強聽到這些說話後，悔恨之心隨之而來。他馬上與她分手，她哭到眼也腫了，用無辜的眼光看著小強，彷彿不知道發生什麼事，她更以死威脅小強，希望換來復合的機會。但此刻小強根本什麼說話也聽不進耳便馬上回了家。翌日，校方在校內發現小美自殺的屍體，從此小強便對這事心感後悔，因為是他害成小美這樣，他每天過著悲哀的生活。

現在升降機內只剩下他們兩人，小強不禁苦嘆，若果此時小美能帶他走便好了。他說了這番話出來，他望向她的位置時，升降機已到達41樓。這時小強才驚覺，這大廈只有35樓，哪來41樓……小強只感到升降機不停升高，她露出笑容說了一句話：「是不是這樣？是不是這樣？小強你要我帶你走？現在我就帶你走！」升降機一瞬間已經上到400樓，但忽然開始下降到300樓…200樓…100樓…最後到達地下！

「砰！」一聲，他看到鏡子裡的自己血流滿面……

「嘩！」小強嚇得從班房驚醒起來，看了看時鐘，原來已經6時多，是時候回家了，他慶幸剛才的片段只是一場夢，他趕進了學校的升降機，竟看到一名穿著白衣的女生，靠近按鈕的鏡子，並對小強露出詭異的笑容……

Art_kIT

鬼古投稿招募

新增設的「鬼古投稿」專欄，誠是一個讓各大家發表個人親身經歷感覺靈異事件的平台。歡迎同學、讀者，字數不限，超短篇恐怖約字數500字至800字，長篇鬼古字數則介乎1200字以上，大家投稿寫作品電郵至ghostbuster@yes.com.hk或寄到編輯部第68516號，信封面註明「鬼古投稿」。敢看敢寫的《yes!》刊登喔！

「VICTORY OR NOTHING」
2011 BSX Autumn Collections

Red Poncho  $490

Pattern Easypants  $330

每逢秋冬，少女為了玩Layering，都會花上不少心思配搭服飾，而少男則選擇玩味系列的服飾以求突破！是季BSX推出的一系列新裝都非常切合少男少女的口味，前扣鈕式和Pull-over剪裁斗篷、Print Leggings、耳仔帽設計Sweater等均色彩鮮艷，充滿少女味；男裝Hoodies則以動物素材為主，大玩恐龍、豹或貓等立體Style，有型可愛，貫徹秋冬「VICTORY OR NOTHING」的口號，延續一向推崇的時尚生活態度。

Denim Shirt With Hooded  $490

Pattern Crop Pants  $390

Grey Sweat Tunic  $590

Star Print Tight Pants  $290

Black Hoodies  $590

Checked Pants Stylist's Own

Navy Top Stylist's Own

Grey Cardigan  $430

Khaki Chino Pants  $390

Leopard Print Hat Stylist's Own

Stripe Knit Top  $390

Grey Down Vest  $590

3/4 Sleeves Print Tee  $160

Red Print Hoodies  $590

Black Print Hoodies  $590

Checked Shirt With Hooded  $430

Black Lace Print Dress  $290

Denim Shirt With Hooded  $490

Grey Print Cardigan  $430

Grey Print Hoodies  $390

# Autumn Collections

Pattern Crop Pants  $390

Star Print Tight Pants  $290

Khaki Chino Pants  $390

Unwashed Denim  $430

Print Easypants  $330

Black Leggings  未定價

Dot Print Knit Scarf  $230@

Pattern Knit Scarf  $230

Dot Print Knit Leg Warmer  $160@

White Print Tote Bag  $160

Black Print Tote Bag  $190

**Shop Address：**
「**BSX**」各專門店

**Text & Styling**_小白臉　**Art**_Ravi　**Photo**_Jeffrey（Model）、Herman（Products）　**Model**_Kan Wong、KK Lai@星願事務所

# Autumn Hot Skirt

女生一連四季對裙子的敏感度都高得很。但現在已入秋了，本人建議大家將Mini Skirt收起，改為推薦大家穿比迷你裙長少許的Skirt！是季Zip及Dot Style都是裙子類的兩大熱門，誰說秋天不能穿短裙!?

Brown Dot Skirt  $469

Leopard Knit Top　$599
Black Zip Skirt　$469

Shop Address：「ESPRIT」尖沙咀亞士厘道7號地下

Text & Styling_小白臉　Photo_Jeffrey　Model_Carmen Wong@星願事務所　Art_Gary

# pull-in UNDERWEAR

## 7倍大の力量

「Cupcake-miam」 Collections

girl-dt-miam

girl-be-miam

boy-sh-miam

boy-yb-miam

「Strawberry-fraises」 Collections

「Star-etoiles」 Collections

boy-yb-fraises14

boy-sh-fraises14

girl-dt-fraises14

girl-be-etoiles

boy-yb-etoiles

girl-dt-etoiles

girl-be-fraises14

由法籍創辦人Emmanuel Loheac兼設計師於2000年成立的品牌pull-in，在近年可謂風靡全球，其色彩斑斕的「橡筋頭」設計加上經常與其他品牌聯名如G-SHOCK、SpongeBob、New York Yankees及SWAROVSKI等，令pull-in更引人注目。pull-in每年均推出4大系列：Party time、Spring、Summer、Winter，今年5月亦為踏足香港而開設首間概念店，當中Disney® MARVEL®系列更是焦點所在！pull-in內衣採用優質Invista萊卡布料，高彈性是其賣點之一，即使將產品拉至7倍大仍不會破壞原有形狀。此外物料透氣度高，可大大減低侷促的感覺，令pull-in逐漸成為行業上的先驅。

**Other Recommend In 2011**

fa-zubi

sh-ludique

FACOP ARTY copie

pull-in UNDERWEAR

DA ARGH copie

fa-dog

DT SMARTY copie

DT MELIA copie

KIR PAK copie

SHCOP CHAMPI copie

KIR BURGER copie

SHCOP PIOU copie

FACOP BONHOM copie

For Boys：$390@
For Girls：$300@
**Shop Address：**
「**pull-in香港概念店**」尖沙咀海港城海運大廈3樓LCX

125

Text_小白臉　Art_AK

Catalog開業將近12年，為隆重其事，Catalog特別邀請日本著名新晉室內設計師佐藤大先生度身設計進駐北京三里屯的旗艦店及香港apm店，打破店舖設計沉悶的框框，將一本本書籍倒置於天花之中，天馬行空的創意思維締造清新立體的空間感，佐藤大先生所設計的店舖既具空間藝術感，又具時尚潮流感。

是次為慶祝兩樁喜事，Catalog更破天荒與CLOT及HEAD PORTER攜手合作，推出聯乘單品，包括HEAD PORTER×CLOT×Catalog極罕限量背包、中國及香港區獨家發售人氣native™撞色別注版；更獲得優先獨家發售NIKE® Lava Dunk，實在不容忽視！

日名師手筆 Catalog

# 全新專門店 立體新空間

HEAD PORTER × CLOT × Catalog Backpack  $3299@
*獨家HEAD PORTER × CLOT × Catalog限量背包香港區限定210枚

NIKE® Lava Dunk  $899/Pair
*apm店優先獨家發售

native™ Limited Edition  $780/Pair
*全中國及香港獨家native™撞色限量別注版

# Other Recommendations :

adidas® AC Colorado Dots
Windbreakers  $499

adidas® CR Firebird Dots
Windbreakers  $499

Rubber Duck BigFoot（Neon Pink）
$795/Pair

Rubber Duck BigFoot（Sand）
$950/Pair

Koetic Friday Flag Knit Top
$549

C'terBox Ethinic Sweater
$499

Koetic Friday Leopard Patch Top
$499

C'terBox Stadium Color Block Jacket
$899

**Shop Address：**
觀塘apm創紀之城5期1樓L1-12號舖

WEEKLY STYLISH EYES

PUMA® LOOP & SLIDE Watches  $390@(a)

01

# PUMA® LOOP & SLIDE系列
## 讓沉寂秋冬添上鮮豔色彩

秋冬全身黑白灰顏色的組合,令心情也沉重起來。PUMA®決定打破死氣沉沉的氣氛,延續「LOOP & SLIDE」秋冬色彩系列,於幽暗的秋冬依然可以散發出夏天的動感!此系列構思出16款大膽撞色的手錶設計,錶帶背部印有斜紋PUMA®標記,多功能手錶集50米防水、響鬧、計時及倒數等功能於一身,更厲害的是手錶還內置異地時間,配戴者能隨時隨地查閱外地時間,方便快捷。

LACOSTE CABANAC 2 $1200/Pair(b)

LACOSTE BRIER LA $1100/Pair(b)

# LACOSTE Footwear
## 冬季潮拜恩物火速登場

每逢冬季，毛毛Boots都是大熱Item，在女生鞋櫃中更是穩佔首位！有見及此，LACOSTE Footwear今個冬天便為女生們速遞更多款毛毛Boots，令大家在寒冬來臨前作好準備！別具型格之Mid-cut Boots CABANAC 2系列，備有卡其及棕褐兩色，面層以麂皮製造，Boots頂身部份附有毛毛，有效抵禦冬冬。只要簡單地配襯衛衣、長身冷衫及Leggings，即可營造出可愛的Boyish感覺！而另一系列BRIER LA則有寶藍、咖啡及酒紅3色以供選擇，Boots身以毛冷質料配上大鈕扣，而內部則加入暖烘烘的毛毛質料，輕盈、貼身又舒服！

## 03

### Timberland® Regular Benton 3-In-1 Jacket  $1990(c)

Timberland®最近推出了Benton 3-In-1 Jacket，整件外套設計靈活，分內外兩層，可隨意拆除。外套外層選用了混合有機棉（佔70%）及尼龍料，透氣之餘亦可防風、防水、高度耐磨及耐穿；內層為柔軟及輕身的抓毛料外套，不但恆溫保暖，而且柔軟舒適。外套上更有多功能用途及實用的口袋、隱藏式拉鏈及魔術貼、可拆除的風帽、可調節的魔術貼袖口等功能式設計。

## 04

### GUESS Watches Netted $890(d)
### GUESS Watches Little Party Girl  $890(d)

黑色是既經典又永恒的顏色，無論是服飾或配件，簡簡單單的設計，已經可以吸引眾人的目光。這個季度，GUESS Watches特意推出誇張又閃爍的Sparkle Collections，令每個少女都散發著令人眩目的魅力。

## 05

### True Religion Lace-Up Biker Leather Jacket  未定價(e)

皮革產品是冬天衣櫥不可缺少的一員，True Religion今季推出多款以優質羊皮製成的皮衣及皮褲，令人輕易配襯出型格秋冬造型。黑色皮衣以縛帶點綴腰間兩旁，頓時增添時尚感。

## 06

### ESPRIT Watches $1990@(f)

隨著陶瓷腕錶的熱潮，ESPRIT旗下品牌ESPRIT Collection也不甘後人，以大方得體、專業的設計為主調，通過更成熟先進的加工方法，首次將陶瓷工藝融入腕錶系列，打造成精美的Isis陶瓷腕錶系列，手感良好之餘，更顯華麗高貴。

## 07

### Reebok Padded Jacket $759(g)
### Reebok Mid Length Down Jacket $999(g)

承接早前Classic Windbreaker系列大熱的餘溫，Reebok夾棉外套繼續沿用色彩豐富的設計主調，採用溫暖舒適的優質夾棉製作，並配置「R」復古拉鍊扣及可拆式外套帽等細節，設計得一絲不苟。

## 08

### bread n butter Overall Intersia Cape $799(h)
### bread n butter Patterned Skirt $699(h)

斗篷今年繼續大熱，紫紅色雪花圖案加上斗篷邊位的流蘇，充滿民族感；而雪花短裙最適合配襪毛衣及短Boots，上衣不妨選擇鮮豔的顏色，撞出新鮮的效果。

## 09

### MARC BY MARC JACOBS Watches $1490-$1690@(i)

MARC BY MARC JACOBS腕錶於今年秋季系列中注入DREAMY LOGO，這早於品牌主線手袋等產品中以嶄露頭角的標誌性字體為設計概念，讓多個經典腕錶款式煥發耳目一新的新鮮感。

## 10

### JIMMY BLACK Pop-up Store(j)

JIMMY BLACK Pop-up Store已順利完成展覽，限定店內以Rock Party的主題，陳列出JIMMY BLACK Premium Collection鞋款，店內備有Manhattan及Kingston兩個矚目的款式發售，Kingston鞋款更是率先登場，恭喜！

**Shop List：**
(a) 「PUMA®」指定專門店及各大經銷商 (Tel：3971 1100)
(b) 「LACOSTE」尖沙咀iSQUARE LB6號店舖
(c) 「Timberland®」旺角朗豪坊702-703號舖
(d) 「GUESS」手錶專櫃
(e) 「True Religion」中環國際金融中心3085A舖

(f) 「ESPRIT」指定專門店及各大經銷商
(g) 「Reebok」尖沙咀海港城海運大廈2樓OT271舖
(h) 「bread n butter」各專門店
(i) 「time + style」旺角朗豪坊2樓西武SL208-209專櫃
(j) 「JIMMY BLACK Pop-up Store」海港城LCX Level 3

臉容會隨著年齡的增長而有所失色，只有動人的氣質才可長存，想令自身更具魅力，便應多汲取新知識及提高妝容的氣質和美感，這樣才可令人對你的印象更為難忘，說不定因而得到更多不同的機會，令人生更為豐盛呀！

# Temperament
# Beautiful Woman

# *Korean Girl*

若單憑外觀而言，韓國的女生真是氣質過人，這全都跟她們的素肌彩妝有莫大關係，想知道化素肌彩妝的小技巧，就必定要細心留意以下妝容喇！

## *Step 1*
先在眼窩的後方掃上粉紅色眼影。

## *Step 2*
接著在眼窩較前部份掃上淡粉紅色眼影。

## *Step 3*
以黑色眼線液畫出幼身的上眼線。

## *Step 4*
用上啡色眼線筆在下眼睫毛的邊緣位置畫出下眼線。

## *Step 5*
上下眼睫毛均擦上纖長的黑色睫毛液。

## *Step 6*
從顴骨較高的位置，以斜向方式把淡粉紅色胭脂掃至面膚的位置。

## *Step 7*
在櫻唇塗上較淺色的淡粉紅色唇彩便可。

今季真的很流行

韓風彩妝喔！

# *Little Tips*

## 眼影色彩不宜濃

想營造清純優雅的氣質，便不宜塗上過於濃艷的眼影，取而代之可換上一些較溫暖的顏色，令柔和感大為提升。再者不適合黏貼上較誇張的假眼睫毛，而且眼線亦不宜塗至粗身，否則會予人較為入世已久的感覺，令純情效果盡失。

## 輕量修容添韻味

妝容是否好看，除了跟自身的臉容有關外，還有跟妝容的用色是否具層次感有關，所以在塗抹妝色時，就必定要以深淺不一的色澤互相配合掃上，這便可使效果更為立體，同時在完成後亦可掃上光影粉及陰影粉，從而令輪廓更突出，讓面容更見精緻迷人。

FANCL Cheek Color $98(g)

M.A.C Ice Parade Eyeshadow $420(f)

MAYBELLINE NEW YORK Eye Studio Hyper Sharp Liner $75(j)

Za Impact Lash Mascara Wide Eyes $95(a)

MAJOLICA MAJORCA Honey Pump Gloss Neo $55(c)

LUNASOL Three Dimensional Eyes $440(h)

# Refinement Princess

潔淨的妝容最能表達出優雅的感覺，如想予人斯文的印象，便可選上較淡的色澤，這便可使妝感更為清純，迷人度自然提升至爆燈境界喇！

### Step 1
在眼窩位置掃上啡色眼影，使眼部輪廓更突出。

### Step 2
隨即可畫上順滑細緻的黑色上眼線。

### Step 3
用上灰黑色眼線筆畫下眼線，讓雙眼可顯得更大更精神。

### Step 4
然後在上下睫毛塗上較濃黑的黑色睫毛液。

### Step 5
在耳前的位置往前掃上淡橙粉紅色胭脂。

### Step 6
在櫻唇上以唇塗塗上光澤感較強的粉紅色唇膏。

### Step 7
最後於T字位及眉骨底的位置掃上光影粉，令輪廓變得更立體便可。

溫文儒雅的女生

是最為吸引的！

## Little Tips
### 大地色系增自然感

要算柔和自然易用的顏色，一定非啡色莫屬，無論是那種啡色，上妝時都極易控制，輕輕一掃便可令輪廓在短時間內突出，令容顏更具立體感，而且更十分亮麗自然，所以想走自然效果路線的你，就必定要多用此色系喇！

shu uemura Cream Shimmer Highlighter Radiant Pearl $135(i)

MAX FACTOR Liquid Effect Pencil $78(k)

M.A.C Glitter and Ice Lipstick $150(f)

RMK Sheer Powder Cheeks $370(d)

REVLON ColorStay Liquid Liner $98(b)

IPSA Multi Gradation $230(e)

CYBER COLORS Ex Volume Waterproof Mascara $168(l)

**Shop List :**

(a) 「Za」各大莎莎化妝品百貨專櫃
(b) 「REVLON」各大莎莎化妝品百貨專櫃
(c) 「MAJOLICA MAJORCA」各大屈臣氏個人護理店
(d) 「RMK」尖沙咀崇光百貨專櫃 （Tel：2865 0941）
(e) 「IPSA」銅鑼灣時代廣場連卡佛專櫃 （Tel：2114 0844）
(f) 「M.A.C」尖沙咀海港城FACES專櫃 （Tel：3101 9036）
(g) 「FANCL」九龍塘又一城UG24號舖 （Tel：8223 2625）
(h) 「Kanebo」沙田一田百貨專櫃 （Tel：2865 0978）
(i) 「shu uemura」金鐘太古廣場128室 （Tel：2918 1238）
(j) 「MAYBELLINE」旺角朗豪坊L5-18號舖 （Tel：3101 0342）
(k) 「MAX FACTOR」海港大廈FACES專櫃 （Tel：2110 1951）
(l) 「CYBER COLORS」各大莎莎化妝品百貨專櫃
　　　　　　　　　　　　（Tel：2505 5023）

**Text**_滑滑豆腐　**Photo**_Guy　**Model**_Hayley Yeung
**Make-up**_Chole Wong（www.makeupzone.com.hk）
**Hair**_Vanessa Wong（www.makeupzone.com.hk）　**Art**_wAi

# hair

# 簡易束髮造型集

女生們一早起來除了會為選擇服裝而大為煩惱外，一頭煩惱絲就更為煩心，真不知如何是好！其實只要花點時間，把秀髮簡易的轉數圈並夾起，便能創造出與眾不同的別緻造型，這樣天天均能有全新造型赴會，自然能在眾人面前時常眼前一亮喇！

## 時尚女皇

擁有一頭中長髮的你就不要浪費，快快把秀髮向後方簡單地束起，這便可立即搖身一變，令時尚氣息大為增加，明天就不妨一試喇！

Side

Back

Side

### 變髮小道具

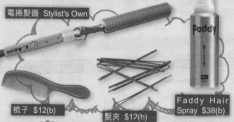

電捲髮器 Stylist's Own

梳子 $12(b)

髮夾 $12(h)

Faddy Hair Spray $38(b)

適合面型
倒三角型
橢圓型
圓面型
方面型

**Step 1**
把後方的秀髮先用電捲髮器捲成鬆髮狀。

**Step 2**
把左後方上半部份的秀髮拿起，然後用髮夾固定在後方中央位置上。

**Step 3**
然後把右後方上半部份的秀髮拿起，同樣以髮夾固定在後方中央位置。

**Step 4**
如秀髮有鬆散的現象出現，可多用數個髮夾固定。

**Step 5**
接著噴上定型噴霧，令髮型更為穩固便可。

Side　Back　Side

# 動感少女

微微捲曲的秀髮可令女生的活力感
大為升溫，同時也可在走路時更添
動感。換上此髮型後不令吸引度提
高是不可能的事了！（笑）

## 變髮小道具

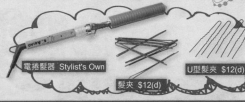

電捲髮器　Stylist's Own
髮夾　$12(d)
U型髮夾　$12(d)

### 適合面型
倒三角型
橢圓型
圓面型

**Step 1**
拿起左方上半部份的秀
髮並以向內捲。

**Step 2**
然後以髮夾固定該秀
髮在後方中央位置。

**Step 3**
接著把小髮束的髮尾
拉高，並以U型髮夾
固定在髮夾旁邊的位
置。

**Step 4**
將秀髮捲成波浪
型，使秀髮更富活
力感。

**Step 5**
如造型未見完美，可
用U型髮夾再次整理，
從而令髮型增添更多
線條感。

# 簡約魅力

最清純、簡單的造型可令親切度
增加，而且更不用花太長時間來
塑造，這樣就算在早上趕時間的
時候，也可輕易束上，真是很適
合一班貪睡的女生們啊！

## 變髮小道具

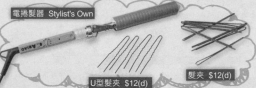

電捲髮器　Stylist's Own
U型髮夾　$12(d)
髮夾　$12(d)

### 適合面型
倒三角型
橢圓型
圓面型

Side　Back　Side

**Step 1**
將整頭上半部位的秀髮
拉至中央位置，並向右
方內捲。

**Step 2**
隨後以髮夾固定秀髮
的位置，使其不易鬆
脫移位。

**Step 3**
接著把耳背的秀髮拉
向中央位置，並以髮
夾固定。然後另一方
也同樣重複此步驟。

**Step 4**
將上半部份的髮尾拉
到較高的位置，其後
用上U型髮夾固定。

**Step 5**
最後以電捲髮器把髮
尾的秀髮捲曲至波浪
形便可。

**Text & Styling** 滑滑豆腐
**Photo**_Jeffrey
**Model**_Phoebe Chung@星願事務所
**Hair**_Keith Tsui
**Art**_kIT

**Shop List：**
(a)「Faddy」各大萬寧個人護理店
(b)「JUSCO Living Plaza」香港德輔道西410號太平洋廣場1樓1-15號舖（Tel：2291 6236）

137

# 轉季護膚問題大解讀

轉季時因天氣轉變，濕度驟降，令肌膚及氣管容易出現不適，不是喉嚨乾涸，就是皮膚變得乾燥、脫皮，甚至令肌膚出現敏感問題，例如長出小紅疹等，真是令人十分困擾。滑滑豆腐今次便會就此情況作出講解，希望能幫助各位少女輕鬆過度這乾枯的日子，肌膚能保持最水潤完美的狀態！

**1.** 在轉季時，肌膚不時出現痕癢的情況，這是不是說明肌膚太乾燥？

**Ans：**由於空氣中的濕度不斷下降，從而使肌膚中的水份流失，同時皮脂腺的分泌也相應減少，使肌膚變得乾上加乾，這便很容易令肌膚出現痕癢的情況，每當遇到此問題，便應加強保濕護理，轉用一些油性較高的護膚品，提升鎖水效能，肌膚才會得到足夠滋潤，做足保濕護理下，痕癢的感覺便會完全消失。

**2.** 轉季時要轉換護膚品嗎？

**Ans：**若然肌膚狀態沒有太大改變，便不需轉用其他護膚品，但如果肌膚出現少許敏感情況，便不宜繼續使用夏季時的泡沫潔面產品，因此類產品較深層去除毛孔內的油份，令肌膚變得較乾，再者也應停用果酸類護膚品，因在使用此類護膚品後同樣會令肌膚變得更乾，而且還會令肌膚變得更薄，這樣就更易流失水份，敏感的情況便會變得更嚴重。

DR.WU Hyalu-Complex™第3代玻尿酸保濕化妝水 $220(b)

質地如精華液般滲稠，加入獨家滲透導入科技，能將大量水份注入肌膚底層，全面復原肌膚乾燥受損問題，提升皮膚吸收效果高達10倍。

## 3. 在轉季時，敏感肌膚更易變得紅腫及脫皮，應怎樣預防？

**Ans：**敏感肌膚的人士特別容易出現紅腫及脫皮的情況，這全都是跟肌膚較脆弱有關。在轉季時，由於濕度下降，令肌膚更為缺水，所以紅腫脫皮的情況便會更為嚴重，想舒緩此情況，可每天敷上水份面膜，加強肌膚濕潤度，從而改善膚質缺水問題，更要用上不含香料及防腐劑的護膚品，以免刺激肌膚。如數天後紅腫及脫皮情況也未有改善，可能是患上皮膚炎，此時最好找皮膚科醫生作出治療。

## 4. 於轉季時，為何肌膚會長出暗粒？

**Ans：**這全都是由於肌膚太乾，得不到足夠的保護，導致皮脂腺分泌出更多油脂保護肌膚，避免細菌入侵肌膚而受到傷害，所以如果我們未有及時處理肌膚乾燥的問題，便有機會長出暗粒，使肌膚凹凸不平，此時最好將保濕精華配合保濕面霜一併使用，面霜具加強吸收精華的功效，就如形成一個保護膜般，更有效鎖住水份和營養，肌膚因而更為水盈滋潤。

## 5. 肌膚有時會出現發熱發紅的現象，為何會這樣？

**Ans：**肌膚發紅發熱正正代表了肌膚過於乾燥，說明了出現炎症或敏感現象，此時肌膚更會因過於乾燥而出現極微細的乾裂小痕，若此時以手抓癢，便很易導致細菌入侵肌膚，令情況變得更壞，久久也不能痊癒，所以遇上此問題時，還是看皮膚科醫生為佳，切勿胡亂自行塗上藥物和護膚品，以免情況變得更嚴重。

**MAYBELLINE NEW YORK全新8合1純礦物 BB Mousse $149(d)**

泡沫配方更能省卻多重化妝品負擔，零毛孔的妝效感更強，同時更為水潤貼服，使用後能使肌膚更有光澤及細滑，膚色就當然更為完美無瑕啊！

## 6. 有脫皮問題時還能進行化妝嗎？

**Ans：**最好能在化妝前以較微細粒子成份的面部磨砂霜先行去除死皮，以減低皮屑的數量；同時過後更應先行塗上水潤的面霜，在塗抹時更可作出少量面部按摩，使產品能更快滲透至肌膚底層，令肌膚更為滋潤。之後在塗粉底時，最好能以輕印的手法把粉底輕輕印在面上，這便能減少皮屑卡粉的現象出現，讓粉底變得更為貼服自然。

## 8. 雙唇變得蒼白無血色，繃緊之餘還出現脫皮問題，怎樣才能在短時間內改善？

**Ans：**這全都是跟身體內的血液循環變得較慢有關，遇上此情況時，可使用質感極滋潤的潤唇膏滋潤雙唇，令雙唇得到足夠的滋潤，改善雙唇繃緊及脫皮的症狀，再者在早上時也可使用含有微量色素的潤唇膏，即可令雙唇變得更為紅潤，每星期更應進行至少一次唇膜，為唇部深層補充水份及營養，那麼便可改善雙唇繃緊及脫皮的問題喇！

**ettusais × SANRIO「KIKILALA」lip essence唇部修護精華 $125(c)**

特別推出限量版唇部修護精華，以Little Twin Stars作包裝主題，內裡滋潤成份的份量升級，能更有效提升雙唇水份滋潤度，使雙唇更為柔軟水盈。

## 7. 眼周的肌膚特別容易乾燥，在化妝前應如何急救？

**Ans：**在化妝前可以先敷上眼膜，令眼周肌膚得到進一步滋潤，過後更應塗上滋潤度較高的眼霜，在塗抹時可加上適量的眼部按摩，使產品更快滲透至肌膚底層，這樣眼紋便會減少。在塗遮瑕膏時，可用纖維的遮瑕掃順著一個方向，由內至外塗上，效果便會更為貼服，更重要是要選上較Cream狀的遮瑕膏，因此類產品一般會較為滋潤，使用後便可完全遮蓋乾紋喇！

**bliss® triple oxygen instant energizing eye gel 3重氧氣活膚急救眼部啫喱 $420(a)**

首次引入冰涼及保濕啫喱配方，含有刺激性咖啡因，迅即舒緩眼腫問題，配合柔焦效果的球形粉末有效撫平細紋、瞬間滋潤眼部肌膚，讓眼部肌膚回復明亮動人的狀態。

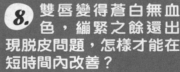

**Shop List：**
(a)「bliss®」尖沙咀海港城Faces專櫃（Tel：3586 0246）
(b)「DR.WU」尖沙咀海港城LCX專櫃（Tel：2890 8825）
(c)「ettusais」銅鑼灣時代廣場B206號舖（Tel：2506 3780）
(d)「MAYBELLINE」旺角朗豪坊L5層18號舖（Tel：3101 0342）

**Text**_滑滑豆腐　**Photo**_Herman　**Model**_Joan Lin@First Cast　**Art**_Gary　139

# 改善血循

### step 1

平躺在地上，雙腿合實伸直，腳跟要貼著地面。雙手手臂屈曲呈90°以挺起上半身，並擺放於背後，此時腰背須挺直，然後保持慢而深的呼吸，為之後的動作做好準備。

### step 2

深深吸一口氣，然後把雙腿抬高，雙腿的高度大約與頭部呈相同水平，維持此姿勢15秒後，便可慢慢呼氣，重複此組動作10次。

### step 3

又再深深吸一口氣，接著把左腿向前伸直，而右腿則向上抬高，需盡量抬至與地面呈90°為佳。維持此姿勢15秒後，便可慢慢呼氣，此組動作亦須重複10次。

### step 4

之後把左右雙腿往上下方交替擺動，並須進行30秒，跟著便可慢慢放鬆下來。

# 環瑜伽操

每天生活讓我們極為緊張，不是趕巴士，就是趕功課。這一切均令我們身心停留在最繃緊的狀態，血液循環也因此而受到影響，輕則面無血色，嚴重的更會導致失眠及生病，所以舒緩壓力是不容忽視的生活環節。大家只要花點時間，每天進行半小時的瑜伽運動便可得以改善以上問題。想時常保持頭腦清晰及精神爽利的你，就快點跟著我們的步伐，開始你的健康之路喇！

**step 5**

吸一口氣，接著把雙腿同時向上伸直至繃緊狀態，之後便可向左右方擺動，當腹部有微酸的感覺時，便可把雙腿慢慢地放到地上，再以雙手輕揉腹部，使其放鬆過來，此組動作亦須進行約30秒。

**step 6**

整個人放鬆坐在地面上，雙腿合實向前方伸直，雙手手臂則自然地放在大腿上，掌心向著下方，雙眼往前看，使心靈平靜下來，為之後的動作做好準備。

**step 7**

屈曲左膝蓋，並盡量靠往左邊臀部，腳背貼著地面，腳跟及大腿緊貼在一起。而右腿則保持向前伸直，雙手握著右腳的腳背。全身的重點須傾向已屈曲的左腿上，維持此動作20秒，其後左右腿交替做此組動作10次。

**step 8**

下半身繼續保持Step 7的動作，而上半身須往前再傾斜多些，頭要抬高望天，維持此動作20秒，其後左右腿交替做此組動作10次。

**step 9**

深呼吸，之後雙膝蓋必須合實在一起，然後慢慢呼氣。將身體盡量向前方傾，雙手可握著右腳腳尖，約20秒過後便可慢慢放鬆，左右腿交替做此組動作10次。

**step 10**

再吸氣，將雙手往前伸，將身體盡量向前方傾，盡量令頭部能碰到膝蓋為止，保持此動作10秒過後，左右腿交替做此組動作10次。

**step 11**

放鬆俯臥在地上，雙腿合實，雙手手臂自然地平放在身旁兩側，手掌向上，下巴須貼著地面，保持慢而深的呼吸，為最後一個動作做好準備。

**step 12**

肩膊以下的姿態保持不變，而頭部則每隔10秒向左右方轉動，從而舒緩頭部的肌肉，左右方各做10次後，便可放鬆平躺在地上，瞌眼休息15分鐘，即可作結。

Text_滑滑豆腐　Photo_Guy　Model_Eunice So@First Cast
Special Thanks_Reebok　Art_Moni

## 又想減肥，又怕肚餓，怎麼辦才好？

減肥的時候最怕整天餓著肚子，令心情跌進谷底，做任何事情都提不起勁，此時肌っ子全新推出的纖吃纖盈麵就能幫到忙了，因為其卡路里極低，更高纖易入口，口感亦十分彈牙，加上有多種口味選擇，天天食用亦不會膩，經常食用還可清除色斑，柔嫩肌膚，並防止皮膚變得粗糙，延緩細胞衰老！

**肌っ子 全新纖吃纖盈麵（綜合海鮮口味）$25(d)**

# The Best Choice of Beauty

## 要保持形象百變，就必定要花點時間！

一早起床最怕秀髮飛起，令形象大為失分。想一出門便明豔照人，就要在家中用上amika的陶瓷板造型器喇！此陶瓷板並不是一層薄身的陶瓷塗層，當陶瓷遇熱後，便會發放遠紅外線的熱力，可保存頭髮內的水份及避免頭髮表層灼傷，在完成造型後，頭髮便能即時變得更亮麗柔滑，還有助去除靜電毛躁，無論任何髮型都更輕易塑造，試問愛美的你家中又怎可沒有此造型器呀！

**animal series 100% ceramic styler動物圖紋系列純陶瓷板造型器 $1780(a)**

## 最近我真的很想買一套既實用又漂亮的化妝掃喔！

化妝掃是化妝時極之重要的工具，良好品質的毛掃，可有助妝容更為貼服及具層次感，所以在選購化妝掃時切勿貪便宜，購買一些劣質的掃子！而M.A.C出品的化妝掃一向以優質見稱，毛質幼滑之餘，亦具層次立體效果，輕輕一掃即可令妝容變得更為亮麗和富立體感。這個化妝掃套裝組合選擇眾多，同時手柄的位置更改為閃亮設計，令人一見傾心，著實是送禮自用的寶物呀！

**M.A.C ice parade make it perfect brush kit mineralize 適用於礦物彩妝的化妝掃組合 $520(c)**

## 真的很想要一些
## 具修護肌膚的彩妝品呀！

全城熱切期待的革命性SK-II COLOR彩妝系列終於誕生了，其質感幼滑之餘更十分上色，色彩選擇眾多，任何造型均極為相襯，同時間在產品中更注入了SK-II經典成份Pitera™及其他珍貴護膚養份，在化妝時就等於護膚，能即時撫平肌膚表層瑕疵及幫助肌膚保持滋潤水嫩，為整張臉賦予光亮與透明感，每天使用便能得到極致修護，這樣就不用再擔心肌膚再受化妝品傷害了。

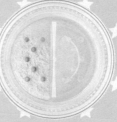

SOFINA beauté uv cut emulsion高濃度精華防曬乳液SPF 30 PA+++  $280(e)
## 肌膚夠滋潤
## 就可有效預防衰老問題！

肌膚充滿水份，便可有效預防衰老，所以在冬日濕度較低的日子就要用上高保濕效能的護膚品才行！SOFINA beauté的高濃度精華防曬乳液就最適合在這季節使用，因當中蘊含最多高出12倍的抗老化滋潤成份，可為肌膚補充及鎖住水份，加上含有較高的防曬成份，這樣便能進一步保護肌膚，使膚質更明亮及有彈性，肌齡自然可保持在最年青的狀態喇！

**SK-II COLOR Clear Beauty Moisture Lipstick  $340(b)**

**SK-II COLOR Clear Beauty Blusher $430(b)**

**SK-II COLOR Clear Beauty Eye Shadow $430(b)**

**BOURJOIS PARIS Flower Perfection Loose Powder杜鵑精華防曬蜜粉  $148(g)**
**BOURJOIS PARIS Flower Perfection Brush 輪廓感應碎粉掃  $108(g)**

## 那種碎粉是最幼滑貼服呀？

碎粉能助妝容更為固定貼服，然而質感越幼，效果自然更好，BOURJOIS PARIS就深明各美女們的需要，故特別推出極幼細粉末的杜鵑精華防曬蜜粉，當中更加入了具保護細胞的杜鵑花精華，經常使用還能保持年輕肌齡，讓外觀看似更為年青，只需輕掃在俏臉上，便能令粗糙毛孔及瑕疵頓時消失，膚質更見白裡透紅，再加上特製的山羊毛掃，能令妝容更為貼薄自然，厚重妝容當然從此絕跡於世喇！

## 經常為十指換上不同的色彩
## 是我最大的興趣！

愛好美甲的少女真的不少，然而只顧漂亮，而不顧甲油的品質當然不可，不然指甲便會很易變黃。shu uemura的指甲油一向以優質見稱，絕不傷甲，亦很易塗擦及卸除，今個聖誕節就更特別推出了一套兩瓶的甲油組合，閃爍的金色和鮮豔華麗的銀色，能單獨或配合使用，不管是型格或熱情，每個人均可創作出獨一無二的指甲藝術，令形象更達完美的境界！

**shu uemura mini nail duo光影甲油  $200(f)**

**Shop List：**
(a)「amika」尖沙咀海港城FACES專櫃（Tel：2398 7181）
(b)「SK-II」九龍灣德福廣場概念店（Tel：2753 9033）
(c)「M.A.C」尖沙咀海港城FACES專櫃（Tel：3101 9036）
(d)「肌っ子」全線莎莎化妝品店（Tel：2505 5023）
(e)「SOFINA」青衣城2樓221號鋪（Tel：2435 5690）
(f)「shu uemura」觀塘apm C-13店（Tel：3148 1022）
(g)「BOURJOIS」旺角朗豪坊西武專櫃（Tel：2269 1814）

Text_滑滑豆腐    Art_AK

# 滑滑豆腐 小郵箱

承蒙先祖「豆腐神」的眷顧，賜予「滑滑之術」秘笈，令一向豬排的你都可以搖身一變成為大家心目中的完美女神。而小妹一向樂善好施，最愛幫助別人，所以我滑滑豆腐一定會為常常多疑又心煩的你解決所有關於美學的煩惱，同時亦會秉承傳統，只要你問我，我就一定會回答你所有的問題，就連奇奇怪怪嘅病症都可以㗎，快啲俾個Mail我喇！

**To：滑滑豆腐**

Hi！我今年11歲！可以叫我小QB…我希望你看了可以回覆我（E-mail）=]

1. 我想貼假眼睫毛…但我唔識貼…可唔可以教我？
2. 到底在選購女性衛生護墊是要留意D咩呀？
3. 可唔可以介紹D唔太貴又舒服嘅護墊比我…

By小QB

**To：小QB**

1. 先從盒中取出假眼睫毛，然後與自身的眼睫毛量度一下，若假眼睫毛過長便要修短。之後在假眼睫毛的邊緣位置塗上睫毛膠水，待半乾時將其黏貼在自身的眼睫毛邊緣位置上便可了。
2. 於選購衛生護墊時必須看清楚包裝上有否列明護墊是質料透薄及由純棉製成，因護墊是女性最貼身的物件，若不是由純棉製成，便會很易令肌膚出現敏感的機會，若質料焗身便會令陰部產生異味，感覺極為不適，所以在購買時必定要仔細留意。在眾品牌中就以Kotex®出品的護墊最佳！
3. 有呀！就是Kotex® 100%有機純棉面層透氣衛生護墊，因為其質料極為舒適，同時亦十分透氣，加上Kotex®護墊是以有機棉製造，對肌膚更為健康，從而減低皮膚敏感的情況，所以真是很好用的護墊，快點到就近的售賣點買包回家試試呀！

Love, 滑滑豆腐

Kotex® 100%有機純棉面層
特長透氣衛生護墊（40片）$26.9(a)

**To：滑滑豆腐**

你好呀，我係第2次寫信嚟，上次抽中咗，好開心，希望今次都抽中啦～

有D問題想請教你…

1. 我額頭有超多暗瘡印，用BB Cream遮住，得唔得？
2. 想買BB Cream，有咩又平又好用嘅好介紹？
3. 想買潤唇膏，有咩好介紹？
4. 我對腳好粗，但我係田徑隊，可以點樣令佢哋瘦D？

我好似問得太多添，希望你唔介意啦～唔登咗覆吓我吖～:)

祝你日日都咁靚！

By AYF

**To：AYF**

1. 如果暗瘡印痕較深色，只使用BB Cream是不可能完全遮蓋印痕的！
2. MIOGGI的BB Cream較有名氣，其質感幼滑，色澤自然，價錢亦不太昂貴。
3. Dermagram新推出的修護唇霜是十分不俗的護唇產品，因為當中蘊含多種滋潤成份，能提供最溫和、最深層的保濕及修護，同時還可強化唇部肌膚，若早晚使用效果會更為理想喔！
4. 你的腿部在這樣情況會較難變瘦，因為田徑隊需經常使用腿部肌肉，這樣會令腿部肌膚變得更為粗壯，若你想腿部瘦點就要減少跑步的次數了。

Love, 滑滑豆腐

Dermagram Balancing Solution
Nourishing Lipcare修護唇霜 $60(b)

**To：滑滑豆腐**

你好啊～我係個女仔，希望抽中我喇^^

1. 塊面成日都有多油，洗完面過咗陣都係有油，點算？
2. 有咩收縮水好用？（唔好太貴啊）
3. 用脫毛蠟紙脫手毛腳毛係咪好痛？我啲Fd話用完之後隻腳紅晒，話好痛。
4. 用完脫毛蠟紙脫毛仲洗唔洗搽啲潤膚露？

我好多問題問，希望你可以解答到我啲問題喇><

希望抽中，祝你日日都咁滑，Thx～

**By 固固**

---

**To：固固**

1. 你可在早上使用潔面產品清潔面部後，在面部油脂分泌較多的位置塗上控油產品，這樣便可解決這煩人的問題了！
2. AQUALABEL的美白保濕爽膚水是不錯的選擇喔！
3. 在使用脫毛蠟紙時，只要在貼上蠟紙後，快速地拉起脫毛蠟紙，這樣便可以減低痛楚。
4. 完成脫毛後，必須先以脫毛後霜清潔已脫毛的部位，之後再以溫水清洗，接著便需要塗上潤膚露。CAUDALIE PARIS的葡萄籽身體修護霜便極為好用，其質地潤而不膩，能有效改善肌膚因乾燥所引起的痕癢、脫皮及繃緊現象，使用後肌膚便會十分水潤舒適，所以在脫毛後，在肌膚皮層較薄的位置就更要用上此產品，這可減低肌膚敏感的情況出現唷！

 Love, 滑滑豆腐

CAUDALIE PARIS Vine Body Butter葡萄籽身體修護霜 $238(d)

---

**To：滑滑豆腐**

你好啊我係第一次Sd E-mail㗎嘅，14 Years Old，希望可以回吓我啦唔該曬>.<

1. 我隻腳時常都有蚊咬，所以隻腳成日都有好多印喺度,,好耐都唔退,,有D咩辦法可以處理到呢？
2. 我個大髀好粗，點樣先可以冇咁粗啊？
3. 我的嘴邊都好像有個黑圈似的，點算啊？

Thank You Very Much >.<!!

祝你白白滑滑Forever～

**By Pui Yan Kan**

---

**To：Pui Yan Kan**

1. 你可每星期進行兩至三次身體磨砂，從而令色素減退，同時也可使用含美白成份的潤膚露，這能加快印痕淡化的速度。
2. 進食每餐後，不應立即坐下及進行過度的腿部運動，最好去散步最少半小時。在晚間洗澡後可用上減肥瘦身產品進行腿部按摩，這便可令情況改善過來。ELANCYL PARIS的全方位緊緻美體乳便具收緊肌膚及改善身型的功效，同時亦能促進膠原增生，加強彈力纖維的柔韌度，若於減肥時與消脂產品交替使用，效果會更佳喔！
3. 這是唇毛及色素沉澱所致，你只要脫掉唇毛及每星期進行一至兩次面部磨砂，便可使色素淡化。

 Love, 滑滑豆腐

ELANCYL PARIS Mutli-Firming Body Care全方位緊緻美體乳 $360(c)

---

**To：滑滑豆腐：**

Hi！我今年16歲，第一次Send E-mail㗎，希望抽中我喇！

1. 我臉上有D斑點，有咩辦法可以去班呀？我想消除佢呀！
2. 我瞼上有小小油脂粒，點樣可以化解佢呢？
3. 我鼻上有D黑頭，有咩上產品好介紹？
4. 我雙手好乾，點樣可以無事？

**By 愛美之人**

---

**To：愛美之人**

1. 你每天早上出門前半小時必須塗上防曬乳，而晚間回家清潔肌膚後，便要塗上美白精華素，每星期更要敷兩次美白面膜，這便能有效令色斑淡化。
2. 你可於晚間潔面後，用已消毒的暗瘡針把油脂粒挑出，過後緊記要在該位置塗上消炎水，以防止肌膚發炎。
3. 市面上有不少具溶解黑頭的面膜，不過其清除黑頭的效果一般，所以還是建議你在清潔面部後以消毒過的暗瘡針清除黑頭，這才是最有效的方法。
4. 要處理雙手乾燥的問題，當然是塗上潤手霜最有效喇！BURT'S BEES®的杏仁牛奶蜜蠟深層潤手霜便特別滋潤，最適合經常操勞及出現龜裂的雙手使用，用後膚質明顯改善及令乾紋盡消，同時其質地十分柔軟，更可減慢手部肌膚老化的速度，這當然要早晚使用才行，你快點到就近的售賣點選購喇！

 Love, 滑滑豆腐

BURT'S BEES® Almond Milk Beeswax Hand Creme杏仁牛奶蜜蠟深層潤手霜 $198(e)

---

Text_滑滑豆腐 Art_wAi

## Welcome Mail Mail Mail

喜愛打扮是人的天性，不論你是男孩或女孩，只要你有護膚或化妝美容等方面的所有疑問，你都可以E-mail到beautytalk@yes.com.hk，或郵寄至觀塘郵箱69518號滑滑豆腐收，收到後我一定會盡快為你解決問題。

鍾意睇電視嘅人，必定係一星期睇足7日電視，連汁都撈埋，睇清睇淨所有電視大小節目劇集！想知每星期全港電視台有乜嘢最新最精彩嘅節目，就要留意〈Go! 清電視〉，齊齊做個百分百嘅電視精！快打開電視機，Go! Go! Go!

## 搶先狙擊

### 〈悠長嫁期之熟女告急〉翻煲姊弟戀

大家而家可能仲係10幾歲，唔知有冇拍拖呢？或者你大把青春，唔擔心冇人要，之不過有啲人可能到20歲都仲未初戀，身為女仔嘅你又有冇諗過自己去到30歲都未搵到適合嫁嘅對象呢？如果係咁你都咪話唔頭痕，所以大家係時候睇返套劇，做定心理準備喇！韓劇〈悠長嫁期之熟女告急〉雖然唔係今年嘅新劇，但呢類以女人做題材嘅劇集就算幾時睇都係咁長青，今個星期將會喺有線電視第1台開始重播，相信唔少師奶、剩女、宅女都會擔定凳仔，等睇劇入面嗰幾位仲未嫁得出嘅中女，到底佢哋會有冇艷遇呢？

### 熱爆姊弟戀

呢個年代，多數人對戀愛態度都開放咗好多，如果問大家接唔接受到姊弟戀嘅時候，大家通常都會答鍾意就得喇！之不過當你真正遇到呢個境況嗰陣就未必會咁堅定㗎喇。就好似劇入面女主角李申英（朴真熙飾）咁，做緊電視台記者嘅佢36歲仲未結婚，佢自從同男朋友分手之後就開始全心投入工作，點知有次喺校園採訪就遇到個大學生夏敏宰（金汎飾），佢係好似傾慕對方，但係男方細女方10年，呢段情到底Work唔Work，唔只煲緊劇嗰班師奶想知，就連面臨姊弟戀抉擇嘅各位都要睇吓喇！

### 完美陽光男孩

大家對於飾演男主角夏敏宰嘅金汎應該都唔會陌生，佢就係因為拍咗韓版〈流星花園〉而紅遍韓國嘅陽光型男喇！喺〈悠長嫁期之熟女告急〉入面，佢嘅角色係一個讀緊經營學嘅24歲大學生，佢外表極有吸引力之外，仲好有音樂才華。不過就有種花花公子嘅心態，慣咗玩感情，直到遇上大自己10年嘅記者李申英，喺追求對方嘅過程，就發現自己已經愛上咗呢個女人。

播出日期：11月20日起（逢星期日）
播出時間：下午1時（連播3集）
播出頻道：有線電視第1台

收睇度：●●●●○

## 節目名稱：〈一路有你〉

### 深情司機古天樂

收睇度：😋😋😋

古天樂有型靚仔就眾所周知，不過佢喺〈一路有你〉入面就唔係飾演溝女王，而係做一個深情嘅貨櫃車司機。套戲係講主角許城亮（古天樂飾）揸車嗰陣意外撞死茵（黃奕飾）嘅老公，茵啱啱有咗BB就冇咗個老公，所以非常淒涼，亮對呢件事亦都好內疚。喺女友蘇珊嘅體諒下，佢盡自己嘅能力照顧茵，希望當係補償。劇情後點發展相信大家都估到，就係茵知道亮車死自己老公嘅事實而一走了之；蘇珊忍受唔到三角關係而提出分手；亮決定追返茵，不過天大地大，亮又可以去邊度搵返茵呢？

播出日期：11月20日（星期日）
播出時間：晚上9時
播出頻道：有線電影1台

## 節目名稱：〈野獸刑警〉

### 經典警匪動作片

收睇度：😋😋😋😋

由著名導演陳嘉上同埋林超賢一齊執導嘅〈野獸刑警〉已經係13年前嘅電影作品，曾經獲得「第18屆香港電影金像獎」最佳電影、最佳導演、最佳編劇、最佳男主角同最佳男配角5項大獎，係行內冇人唔識嘅一套經典港產片。呢套探討做人底線嘅戲係講新嚟嘅上頭Mike（王敏德飾）管一班態度散漫嘅便衣警察爛鬼東（黃秋生飾）同阿Sam（李燦森飾）等等，爛鬼東因為私情而放走殺咗人嘅黑幫大佬高佬輝（張耀揚飾），後嚟發生種種事，Mike同高佬輝老婆發生關係、高佬輝死咗，爛鬼東一個人闖入黑幫地頭幫女友報仇，一班警察就好似野獸咁，一時之間，黑白難分。

播出日期：11月19日（星期六）
播出時間：凌晨12時30分
播出頻道：無綫電影台

## 節目名稱：〈陽光小小姐〉

### 家庭溫馨小品

收睇度：😋😋😋😋

故事喺嚟講Hoover一家6口個個成員嘅性格都唔同，成日為咗嘅小事搞到家嘈屋閉。有一日，7歲嘅細女Olive聽收音機知道加州將會舉辦「陽光小姐」選拔大賽，所以想拉大隊，要成家人陪佢去加州，等佢可以參加選美。之後一家大細揸車出發，一路上當然又係不停為咗啲雞毛蒜皮嘅小事鬧交，加上揸架老爺車又成日死火，搞到佢哋鬼咁冇心情。之不過大家經歷過夢想破滅同失落之後，開始互相了解同信任對方，仲識得鼓勵同支持身邊嘅人，所以話親情真係好寶貴同美好㗎。

播出日期：11月18日（星期五）
播出時間：晚上9時30分
播出頻道：明珠台

## 節目名稱：〈東成西就〉

### 鬼才導演搞笑之作

收睇度：😋😋😋😋

被譽為「鬼才導演」嘅劉鎮偉所重拍嘅〈東成西就2〉即將上映，而原作〈東成西就〉就喺電視度重播喇！仲做緊學生哥嘅大家可能未睇過呢套10幾年前嘅經典笑片，而家就有機會俾你哋睇吓到底呢套戲有幾好笑。當年成班巨星拍嘅〈東邪西毒〉因為超支，搞到劉鎮偉導演要喺10日之內拍多套〈東成西就〉出嚟，成班巨星張曼玉、劉嘉玲、梁朝偉、梁家輝同張國榮等等喺戲入面扮鬼扮馬，仲唔介意造型老奇怪，向觀眾大放笑彈，最後票房同口碑都出奇地好，所以今次電視台重播，大家一定唔可以錯過呀！

播出日期：11月19日（星期六）
播出時間：下午1時15分
播出頻道：高清翡翠台

## 節目名稱：〈多啦A夢〉

### 大雄永遠係反面教材

收睇度：😋😋😋

〈多啦A夢〉做咗咁多年，嚟嚟去去都係講大雄搵多啦A夢幫手，然後又搞出個大頭佛，幫佢都冇用，雖然劇情不停重複，但係觀眾都百睇不厭。今個星期嗰集就講大雄成日遲到，搞到要借用多啦A夢嘅手下迷你多啦。迷你多啦好努力幫大雄趕返返學校，但法寶多多，不勝枚舉，最後大雄都係擺脫唔到遲到嘅命運。另外又提到，大雄借用「魔法事典」嚟創造魔法，以為複雜嘅咒語就可以用嚟收拾胖虎，點知事與願違，佢再一次弄巧反拙，自討苦吃囉！

播出日期：11月21日（逢星期一）
播出時間：下午5時20分
播出頻道：翡翠台

## 節目名稱：〈Music Cafe〉

### 歌手人強馬壯

收睇度：😋😋😋😋

今個星期嘅〈Music Cafe〉請嚟莊冬昕（Deal）、陳僖儀（Sita）、恭碩良、韋雄、尹子維同鄧志偉撐場。咁人多勢眾，就知今集係幾屬害喇！Deal原本係音樂監製，身為幕後音樂人嘅佢喺行內都算為人熟悉，特別係曾經幫過鄭融、Twins同林峯寫歌。最近佢受到賞識簽約做埋歌手，之前唔少歌星都表態支持，今集佢同其他嘉賓嘅Crossover認真令人期待呀！想聽吓才華洋溢嘅Deal有咩特別嘅音樂元素帶俾大家，咁就唔好錯過呢集喇！另外，新人Sita仲會唱歌俾大家聽，希望觀眾對佢有更多認識喇！

播出日期：11月20日（星期日）
播出時間：晚上6時
播出頻道：J2

# 〈星空〉
## 徐嬌驚喜演出

評分
**70**

導演：林書宇
演員：徐嬌、林暉閔、劉若英

〈星空〉係改編自幾米嘅同名漫畫小說，故事係講小美（徐嬌飾）同埋小傑（林暉閔飾）一段好純真嘅愛情。除咗呢段情之外，戲入面同樣著墨咗唔少喺另外兩段關係，分別係小美同爺爺嘅爺孫情同埋小美同佢爸爸媽媽嘅關係。導演為咗令觀眾對呢3段關係有更深嘅共鳴，所以不斷加插唔同嘅道具比喻角色之間嘅關係，例如用一盤拼圖比喻小美同佢爸爸媽媽嘅關係，唔理小美點努力砌圖都好，但最後都係冇咁一塊，同樣佢都好努力去維繫爸爸媽媽之間嘅關係，但最後佢哋都係離婚收場。另外，導演就用咗一份禮物帶出小美同爺爺之間嘅感情，同時引領成套戲進入小美同埋小傑去冒險嘅情節，情節過度得都幾自然。

喺戲入面，感受唔到家庭溫暖嘅小美決定去搵爺爺，一個故事入面帶領住3段情，環環緊扣。而戲入面有大量穿插幻想同真實嘅畫面，好似摺紙動物、飛天火車、台北車站、淡水漁人碼頭、阿里山等等，令〈星空〉保持漫畫小說原著嗰種天馬行空嘅感覺。

演員表現方面，真係唔可以唔讚徐嬌。佢真係可以話成套戲由頭帶到落尾，而且完全冇晒〈長江七號〉男仔頭嘅感覺，做返女仔嘅徐嬌感覺非常討好，尤其同劉若英喺戲廳跳舞嗰幕，感情流露得好真，絕對係一個值得期待嘅小演員。

## DVD FEVER

### 〈竊聽風雲2〉

零售價
**$99**

由〈竊聽風雲〉台前幕後原班人馬全新製作嘅〈竊聽風雲2〉，同樣以時下敏感嘅金融犯罪問題做故事骨幹，3位主角劉青雲、古天樂及吳彥祖分別飾演金融才子、保安科督察同竊聽專才，一日香港證券界著名人羅敏生（劉青雲飾）意外發生交通事故，警方到場調查，督察何智強（古天樂飾）發現羅敏生車上面俾人裝咗軍用嘅竊聽器，而竊聽者正正係阿祖（吳彥祖飾），從中揭開壟斷香港股壇神秘組織「地主會」嘅面紗。喺自3個唔同社會階層嘅人，佢哋連成嘅故事會發展成點呢？

### 〈LIFE OF AN ICON一代天王：米高積遜〉

零售價
**$149**

米高積遜童年摯友David Gest掀起熱爆全球新話題，獨家請咗米高阿媽Katherine、哥哥Tito、家姐Rebbie同埋超過50位星級親朋好友同音樂名人分享呢位「流行音樂之王」鮮為人知嘅成長秘話！當中除咗收錄大量米高嘅精彩表演片段之外，仲搜羅咗佢從未曝光嘅家庭相，等大家進一步了解佢嘅私人生活同埋成長歷程。影片全面覆蓋米高多個難忘嘅人生階段，包括佢喺組合Jackson 5嶄露頭角嘅童年時代、獨立發展成為國際巨星嘅顛峰期，同埋2009年突然離世前嘅最後人生片段。

編輯評語

影碟推介

## 〈天魔戰神〉

導演：塔森辛
主演：亨利卡維、米奇洛基、菲達萍杜
上映日期：2011年11月17日
片種：劇情

耗資超過1億1500萬美元打造史上最強特技，〈戰狼300〉班底氣勢磅礴嘅新作，諸神驚天對決，呈現超真實3D視覺震撼！故事背景係喺奧林匹斯諸神擊敗泰坦巨人Titans之後，寧靜嘅大地再次面對全新危機—海波王（米奇洛基飾）率領大軍向人類橫掃大地，搵唔見咗好耐嘅無敵神箭，佢去過嘅地方一定會血流成河，屍橫遍野。人類嘅最後希望放晒喺年輕勇士提修斯（亨利卡維飾）身上，喺希臘諸神嘅協助之下，提修斯率領一隊精兵對抗邪惡嘅入侵者，為希臘神話寫下最風雲色變嘅一頁！

**院線**：AMC又一城、AMC Pacific Place、百老匯數碼港、百老匯葵芳、百老匯旺角、百老匯奧海城、百老匯荷里朗、百老匯荃灣、百老匯The ONE、百老匯荷里活、PALACE ifc、PALACE apm、嘉禾旺角、嘉禾青衣、嘉禾港威、嘉禾黃埔、嘉禾荃新天地、MCL將軍澳、MCL康怡、MCL JP銅鑼灣、MCL德福、The Grand Cinema、UA東薈城、UA沙田、UA朗豪坊、UA太古城中心、UA時代廣場、UA MegaBox、UA屯門市廣場、UA iSQUARE、皇室、總統、凱都、新寶、豪華、華懋、巴黎倫敦紐約米蘭、馬鞍山

## 〈風雨同路兩支公〉

導演：莊拿芬彌文
主演：晉頓利域、薛夫洛根、安娜姬妲妮
上映日期：2011年11月17日
片種：劇情

正所謂「每日笑一笑，世界更美妙」，只要一個人笑多啲，煩惱就會不翼而飛，連病痛都少啲呀！如果你真心笑多啲，話唔定分分鐘連絕症都可以醫返好喎，好似喺緊套新戲〈風雨同路兩支公〉咁，故事男主角無喇喇患咗癌症，身邊嘅人統統「皇帝唔急太監急」，不過男主角反而好鬼樂觀，仲同埋個老友周圍出沒玩餐飽，實行要及時行樂，用笑聲打贏癌細胞啵，想知「笑」嘅威力係咪真係咁大？只要睇吓套戲就會一清二楚！

**院線**：AMC Pacific Place、AMC 又一城、百老匯數碼港、百老匯葵芳、百老匯奧海城、PALACE apm、嘉禾荃新天地、嘉禾旺角、嘉禾青衣、嘉禾黃埔、MCL將軍澳、MCL康怡、MCL德福、The Grand Cinema、UA太古城中心、UA朗豪坊、UA MegaBox、皇室、影藝、元朗

## 〈鋼之鍊金術師——嘆息之丘的聖星〉

導演：村田和也
上映日期：2011年11月17日
片種：劇情

〈鋼之鍊金術師—嘆息之丘的聖星〉緊接住漫畫入面嘅結局，故事係講愛華德同阿爾兩兄弟目擊到逃獄犯人所施展嘅強大鍊金術，為咗追問更多關於鍊金術嘅事，於是佢哋追住嗰位犯人去到古雷達嘅邊境。而喺呢個過去俾人叫做「米洛斯」嘅街道上，愛德同阿爾遇到一個少女，仲得知以前喺呢度發生嘅慘劇。

**院線**：AMC 又一城、AMC Pacific Place、百老匯The ONE、百老匯數碼港、百老匯旺角、百老匯奧海城、百老匯荷里活、百老匯葵芳、百老匯元朗、百老匯嘉湖銀座、PALACE ifc、PALACE apm、嘉禾港威、嘉禾旺角、嘉禾荃新天地、MCL將軍澳、UA朗豪坊、 UA時代廣場、UA iSQUARE、UA沙田、UA屯門市廣場、UA太古城中心、UA東薈城、總統、凱都、馬鞍山、澳門大會堂

## 〈楊門女將之軍令如山〉

導演：陳勳奇
主演：張柏芝、任賢齊、劉曉慶
上映日期：2011年11月17日
片種：動作

〈楊門女將之軍令如山〉係講喺宋仁宗年間，西夏率兵入侵中原，負責把守天門關嘅楊門大將楊宗保（任賢齊飾）奮勇抗戰，點知朝廷嘅援兵一直未到，於是唯有繼續死守喺城入面。穆桂英（張柏芝飾）心知不妙，想親自去救老公，朝廷潘太師同讒臣王欽借啲意宣旨命令桂英個仔楊文廣出征西夏，表面上係幫宗保報仇，實則想消滅楊家嘅唯一血脈！究竟穆桂英最後救唔救到老公同個仔呢？

**院線**：百老匯旺角、百老匯荷里活、百老匯嘉湖銀座、百老匯葵芳、PALACE apm、UA太古城中心、UA MegaBox、UA東薈城、MCL康怡、MCL將軍澳、The Grand Cinema、嘉禾旺角、影藝、馬鞍山、元朗、華懋、總統、新寶、豪華、凱都、澳門永樂

---

### 其他上映電影

〈極速罪駕〉、〈殺手．歐陽盆栽〉、〈保衛戰隊之出動喇！朋友！〉、〈潮媽都市日記〉、〈星空〉、〈夢遊3D〉、〈劏樓大盜〉、〈三劍俠3D：雙城暗戰〉、〈凶宅藏私〉、〈黑嚇〉、〈猛鬼愛情故事〉、〈潛進時空〉、〈午夜再來嚇〉、〈那些年，我們一起追的女孩。〉、〈浪搞了愛情〉、〈奪命金〉、〈翻完有情郎〉、〈潛行公義〉、〈戀搞好朋友〉、〈鐵甲鋼拳〉、〈異種2011〉、〈特務戇J之救國大業〉、〈白蛇傳說〉、〈魅影殺機〉、〈作死不離3兄弟〉

# 自成一派

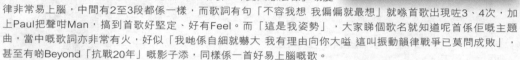

## 黃貫中〈A小調協奏曲〉

唱片公司：維高文化　旺角價：$110　HMV價：$115

黃貫中（Paul）為呢隻新碟〈A小調協奏曲〉足足籌備咗5年，黃貫中將多年對人生同音樂嘅想法注入呢隻全新廣東大碟入面，同時亦都堅持「Band Sound」嘅風格。〈A小調協奏曲〉入面總共收錄咗14首國粵語新歌，滿載佢所醞釀嘅新音樂思維。

喺呢隻大碟入面，最多人認識嘅就係「愛又怎麼樣」同埋「這是我姿勢」呢兩首派台歌，而兩首都係比較Rock嘅歌。「愛又怎麼樣」嘅旋律非常易上腦，中間有2至3段都係一樣，而歌詞有句「不容我想 我偏偏就最想」就喺首歌出現咗3、4次，加上Paul把聲咁Man，搞到首歌好堅定、好有Feel。而「這是我姿勢」，大家睇個歌名就知道呢首係佢嘅主題曲，當中嘅歌詞亦非常有火，好似「我哋係自細都嚇大 我有理由向你大嗌 這叫振動韻律戰爭已莫問成敗」，甚至有啲Beyond「抗戰20年」嘅影子添，同樣係一首好易上腦嘅歌。

但其實呢隻碟入面大部份歌都係由阿Paul填詞，所以比較地道同易上口，唔會有好咬文嚼字嘅感覺，呢個同時亦係佢嘅特色，好似歌曲「目空一切」咁。亦可能因為呢個原因，佢唱嘅Band Sound同比較年輕嘅樂隊好似Mr.又或者RubberBand好唔同，顯得阿Paul比較成熟同有火氣。雖然筆者好欣賞呢隻碟嘅廣東歌，但係普通話就完全唔係呢回事喇。好似「我明白 我不明白」，普通話加佢把聲再加咁Rock嘅背景音樂，當堂有啲出事嘅感覺。所以最後總結成隻碟，筆者特別鍾意「愛又怎麼樣」同埋「這是我姿勢」呢兩首歌，亦都幫到筆者搵返那些年Beyond嘅回憶。

**推介歌：**「愛又怎麼樣」、「這是我姿勢」

# 甜品

## 陳奕迅〈？〉

唱片公司：新藝寶　旺角價：$105　HMV價：$110

陳奕迅（Eason）再出國語碟喇，今次隻大碟名係〈？〉，筆者上網睇到好多評論都話呢隻碟比之前失色，話碟入面冇咩歌真係屬於大歌。但係筆者有另一個睇法，就好似食晚餐咁，你都唔會一晚食5個主菜㗎嘛，一定係由頭盤食到落甜品，而筆者就覺得呢隻大碟係Eason音樂生涯入面嘅一道甜品。

呢隻大碟的確唔似上一隻〈上五樓的快活〉入面有好多激昂嘅歌，但唔代表隻碟冇可取嘅地方。好似「孤獨患者」咁，Eason呢種唱得淡淡然再加埋淡淡嘅旋律，去到歌曲尾段再加幾聲特別效果，同樣帶出嗰種內心拉扯嘅情況。另外呢隻碟入面，分別有幾首同曲但用唔同語言唱嘅歌，分別係「哎呀咿呀」同「張氏情歌」，仲有「Muffin Man」同埋「那些讓你死去活來的女孩」。先講咗第一對歌先，「哎呀咿呀」明顯比廣東話嘅「張氏情歌」更加觸動到人嘅情感，尤其唱到哎呀咿呀，加上每次演繹都唔同時候，更易上腦同比「張氏情歌」更有意思。而後者其實兩首歌聽起嚟嘅感覺都差唔多，只係一首英語一首國語，而呢兩首都係Eason比較用力唱嘅歌。

而大碟入面，筆者最鍾意都係一啲偏靜嘅歌，好似係「Baby Song」，全首歌只得係結他做背景音樂，加上冇咩起伏，聽起上嚟好有Live嘅感覺。而另一首就係「積木」，其實呢首歌都幾調皮，聽落都幾舒服。總結全碟，大家只要用唔同心態欣賞呢隻碟就會發現佢可愛嘅地方。

**推介歌：**「Baby Song」、「積木」

## 華語專輯

### 蘇永康〈和那誰的〉

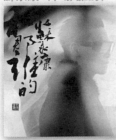

實力派歌手蘇永康回歸華星唱片公司之後，7月首先發行嘅大熱單曲「那誰」大獲好評，而家再推出2011年度大碟〈和那誰的〉，隔咗9年，蘇永康喺11月8至9日再次踏足紅館，舉行咗「蘇永康給那誰的演唱會」。碟入面一半歌都係重新演繹陳奕迅原唱嘅「落花流水」、RubberBand「SimpleLoveSong」、雷頌德「點夠喉」同埋黃韻玲「關不掉的收音機」，再由呢4個老友同蘇永康創作新曲，分別係「春去也」、「忘了簡單」、「怎夠喉」和「別將音量收細」，新舊歌曲互相呼應。

### 蘇打綠〈你在煩惱什麼〉

認真咁講，呢隻係蘇打綠最私密嘅一隻專輯，由自我價值引發出其他關於內心情感同深層渴望嘅話題。講到底，幸福只係每一個當下嘅選擇，直到將一個片刻變成永恆。蘇打綠用創作、用歌聲、用意識，分享幸福嘅關鍵字，喺自蘇打綠嘅關懷，「你在煩惱什麼」？同時呢個亦都係蘇打綠嘅釋懷，佢哋再問大家一次：「你在煩惱什麼」？

## 日韓專輯

### Angela Aki〈WHITE〉

上年出道5周年嘅Angela Aki又再發行第5隻專輯。大碟標題個名為象徵住「全新開始」嘅〈WHITE〉，希望傳遞歌曲同音樂嘅力量俾大家。〈WHITE〉收錄咗「Hajimari no Ballade」、「I Have a Dream」同「One Family」等人氣歌曲之外，佢亦翻唱咗多首對佢有重大意義嘅歌，包括出道作「Furusato-Home」、「古老的大鐘」英文版、Billy Joel嘅「Honesty」同埋石川Sayuri嘅「津輕海峽●冬景色」等10首歌。

### Wonder Girls〈Wonder World〉

你係咪仲聽緊「Nobody」呢？你係咪仲回味緊Wonder Girls以前嘅點滴呢？你係咪跟唔上佢哋大步前進嘅腳步呢？你係咪覺得佢哋已經慢慢遠離你嘅視線呢？你係咪將目光轉移到其他歌手、組合身上？大家等咗咁耐，個啲就喺有嘅期待又重新燃起喇！Wonder Girls今次回歸，除咗請嚟曾經同Beyonce設計過舞蹈嘅舞者Jonte之外，仲請嚟Katy Perry嘅專屬造型師Johnny Wujek。Katy Perry同時具備可愛同性感嘅風格，一定令佢哋嘅造型有更多變化。

---

### 香港電台中文歌曲龍虎榜 — 截至2011年11月12日

| 本周 | 上周 | 歌手 | 歌名 |
|---|---|---|---|
| 1 | 2 | 吳雨霏 | 我本人 |
| 2 | 4 | 胡夏 | 那些年 |
| 3 | 6 | 何韻詩 | 癡情司 |
| 4 | 1 | 王菀之 | 水百合 |
| 5 | 15 | 張學友 | 火光 |
| 6 | 14 | 鄭嘉嘉 | 比你更像男人 |
| 7 | - | 王梓軒 | 説時遲 |
| 8 | 18 | 周柏豪 | 天光 |
| 9 | 12 | 黃貫中 | 這是我姿勢 |
| 10 | 11 | 關心妍 | 仍然 |

### 商業電台叱咤樂壇專業推介 — 截至2011年11月12日

| 本周 | 上周 | 歌手 | 歌名 |
|---|---|---|---|
| 1 | 11 | 何韻詩 | 癡情司 |
| 2 | 4 | 容祖兒 | 牆紙 |
| 3 | 5 | Swing | 那邊見 |
| 4 | 6 | 王菀之 | 水百合 |
| 5 | 12 | 周柏豪 | 天光 |
| 6 | 10 | 盧廣仲 | 藍寶 |
| 7 | 8 | Dear Jane | 慣 |
| 8 | 9 | Gin Lee | 潛水 |
| 9 | 7 | 野仔 | 你知道我在台北等你嗎？ |
| 10 | 1 | 吳雨霏 | 我本人 |

### 新城知訊台勁爆流行榜 — 截至2011年11月12日

| 本周 | 上周 | 歌手 | 歌名 |
|---|---|---|---|
| 1 | 6 | 關楚耀 | 別再躲 |
| 2 | 11 | Gin Lee | 潛水 |
| 3 | 8 | 糖兄妹 | 別煩著我 |
| 4 | 9 | 郭富城 | 以歌會舞 |
| 5 | 16 | 羽翘 | 大華麗家 |
| 6 | 2 | 王菀之 | 水百合 |
| 7 | 7 | 何韻詩 | 癡情司 |
| 8 | 10 | 關心妍 | 仍然 |
| 9 | 12 | 許廷鏗 | 厭棄 |
| 10 | 17 | Boy'z | Sexy Body |

### TVB勁歌金榜 — 截至2011年11月12日

| 本周 | 上周 | 歌手 | 歌名 |
|---|---|---|---|
| 1 | 4 | 梁祐嘉feat.柯有倫 | Feeling Me |
| 2 | 3 | 容祖兒 | 花千樹 |
| 3 | 7 | HotCha | 三個人在途上 |
| 4 | 5 | 陳偉霆 | Love U 2 |
| 5 | 6 | 超級巨聲群星 | 飛聲 |
| 6 | 9 | 鄭欣宜 | 渺小 |
| 7 | - | JW | Juicy Girl |
| 8 | 8 | 王梓軒 | 説時遲 |
| 9 | 10 | 林欣彤 | 鳥籠 |
| 10 | - | 王菀之 | 水百合 |

### [V] 勁碟勁碟（華語榜）— 截至2011年11月18日

| 本周 | 上周 | 歌手 | 歌名 |
|---|---|---|---|
| 1 | - | 周杰倫 | Mine Mine |
| 2 | - | 蘇打綠 | 你在煩惱什麼 |
| 3 | 6 | 陳奕迅 | 看穿 |
| 4 | - | 陳勢安 | 不習慣喊痛 |
| 5 | - | 柯震東 | 有話直説 |
| 6 | 2 | 戴佩妮 | 光著我的腳丫子 |
| 7 | 1 | 許茹芸 | 秘密 |
| 8 | 9 | 陳勢安 | 心·洞 |
| 9 | - | 張智成 | 金玉良言 |
| 10 | - | 卓文萱 | 靜兮兮 |

### [V] 勁碟勁碟（日韓榜）— 截至2011年11月18日

| 本周 | 上周 | 歌手 | 歌名 |
|---|---|---|---|
| 1 | 7 | FTIsland | 宛如鳥兒 |
| 2 | 1 | 少女時代 | THE BOYS |
| 3 | - | KARA | Winter Magic |
| 4 | 5 | 金賢重 | LUCKY GUY |
| 5 | 2 | 2PM | Ultra Lover |
| 6 | 4 | 手越增田 | 魔法旋律 |
| 7 | - | 赤西仁 | Eternal |
| 8 | - | 西野加奈 | 就算… |
| 9 | 13 | YUI | Green a.live |
| 10 | - | 嵐 | 迷宮戀曲 |

Text_Vic    Art_Moni

# 外賣仔周記之 娛樂狙擊

我外賣仔人如其名，最愛送外賣，港九新界邊度都去匀。無論係天王、天后定新人、組合，都幫襯過我㗎！同偶像們傾得偶多，八嘅嘢自然多，所有大家想知嘅八卦嘢，我外賣仔只要跑多幾轉外賣，都一定八到返嚟俾大家！即使係香港以外嘅偶像，我外賣仔都搞得掂㗎，皆因全球都有我嘅「外賣同盟」，所以大家想八咩料，放心交俾我喇！

## 狙擊1：即問即答

想知乜嘢娛樂新聞，或者想知偶像工作上嘅任何問題，問我外賣仔就得喇！Send個E-mail嚟idol@yes.com.hk，標題註明「外賣仔」，或者郵寄到觀塘郵箱69518號，信封面註明「外賣仔周記」就得喇。無論上刀山落油鑊，我都會將個外賣料送俾大家。

**Q1** Justin Bieber幾月出新碟？JB喜歡甚麼卡通人物？（Man Tam）

佢啱啱推出咗新碟〈Under the Mistletoe〉，你買咗未呢？JB冇咩鍾意嘅卡通人物喎。

**Q2** 樂瞳有冇玩微博㗎？（Yogurt）

有呀！佢嘅微博係http://weibo.com/loktung。

**Q3** 少女時代幾時會嚟香港？（牛牛）

佢哋喺下年1月14日會嚟香港舉行亞洲巡迴演唱會，你快啲去撲飛支持佢哋喇！

**Q4** Olivia Ong有冇中文名架？（Sarah）

有呀！佢嘅中文名係王儷婷。

**Q5** 周筆暢幾時會嚟香港？（Suki）

筆筆暫時未打算嚟香港呀。

**Q6** 炎亞綸鍾唔鍾意香港D Fans？（阿心）

只要Fans鍾意Aaron，無論係邊度嘅Fans佢都一樣咁鍾意！

**Q7** G.E.M.會唔會成日上facebook架？（Ceci）

G.E.M.平時玩微博多啲！

**Q8** Super Junior嘅利特係幾時生日？（Angel）

利特嘅生日係7月1日！

## 狙擊2：偶像大頭貼

外賣仔平時出出入入，影埋影唔少靚相返屋企整靚圖，如果你自問用我哋〈yes!!〉所影嘅相嚟設計偶像靚圖或自畫偶像畫比其他人更特別，可以將你哋嘅作品連同姓名、聯絡電話同E-mail地址，E-mail嚟idol@yes.com.hk，電郵標題請註明「偶像大頭貼」，或者放喺〈yes!!〉討論區（http://forum.yesmagazine.com.hk/），或者郵寄至觀塘郵箱69518號「外賣仔周記」收。設計得出色、特別、獨特嘅作品，我哋就會幫你刊登。當中俾我哋揀中為每周最好嘅一位，仲可以得到偶像簽名小禮物一份。想支持自己偶像又想要禮物？咁就快啲嚟參加喇！

### 本周之最

作者：Yan2306
呢一幅圖Stephy嘅表情好靚，張相揀得好好，完全Show到Stephy嗰種成熟魅力！而且睇得出你喺用色方面好花心思，營造咗迷幻嘅感覺，靚晒呀！

### 其他優異作品

作者：Lily Choi

作者：Eva Leung

每期「本周之最」得獎者，會到得到專人通過E-mail或討論區留言請你留低聯絡E-mail，然後再Send一封「通知書」去你所提供之E-mail，收到E-mail後於一星期內帶同通知書前來領獎，逾期不候。

知道大家想要偶像嘅白紙黑字回信喇，狙擊3就俾位偶像答吓信，同大家吹吓水喇！想同偶像通信，請電郵到idol@yes.com.hk，標題註明「外賣仔」，或者郵寄至觀塘郵箱69518號，封面註明「外賣仔周記」就得喇。

**信箱1**

To: 炎亞綸

你好呀！我是你ge fans呀⊙⊙ 我第一次寄信比你哋，希望抽中我喇！

Q1: 你幾時生日？
Q2: 你鍾意咩顏色？
Q3: 你有冇facebook/微博？
Q4: 邊個是你最好朋友？
Q5: 你養出嘅狗狗叫甚麼名字？
Q6: 希望你永遠站在台上唱感動的歌！
Q7: 你可唔可以去yes! 簽個名比我啊

加油哦！ 永遠支持你♡♡♡

From: Sammi

Sammi：
很高興收到你的來信！
1. 我的生日是11月20日。
2. 我喜歡藍色和黃色。
3. 我的微博是http://weibo.com/1826513532，你趕快關注我吧！
4. 飛輪海所有成員都是我的好朋友！
5. 我的狗狗一隻叫妹妹，另一隻叫Cookie。
6. 我一定會，謝謝你！
7. 當然可以。
感謝你對我的支持！

炎亞綸

石: 汪東城

你好呀！我係第4次寄信嚟架～我係你的超期粉！一定要抽中喇，我也是飛輪海的fans！
Q1. 你現在忙甚麼？

Q2. 你最喜歡飛輪海那一首歌？

Q3. 你最滿意自己那一部電影/偶像劇？

Q4. 可以跟你做朋友嗎？

Q5. 誰是你的偶像？

Q6. 誰是你的好朋友？

Q7. 可否簽個名給我？

* 我會永遠支持你+飛輪海！
加油！努力啊！(^_^)

By Yoyo Li

**信箱2**

Yoyo Li：
抽中你喇，開心嗎？
1. 我最近忙於拍攝〈姐姐一枝花〉。
2. 每一首我都很喜歡，因為全都是我們很用心去唱的。
3. 大部份都不錯，不過〈惡作劇之吻〉中演的阿金很深情，你也很喜歡吧？
4. 當然可以喇。
5. 有呀，就是林心如喇！小時候我常看她演戲。
6. 吳尊、炎亞綸、辰亦儒，還有S.H.E的Ella。
7. 當然可以喇！
謝謝你的來信，要繼續支持我們呀！

汪東城

我外賣仔成日都見到好多偶像藝人，每次見到佢哋，我都會好好鼓勵佢哋繼續加油，又或者俾啲非常有建設性嘅意見佢哋，等佢哋可以做得更好喎！，而且正所謂支持就唔怕多，意見亦好重要，喺香港地呢個言論自由嘅地方，就梗係講咩都得喇！如果你哋有咩真心說話，想同偶像講嘅，無論好同壞都可以電郵到idol@yes.com.hk，標題註明「外賣仔」，或者郵寄至觀塘郵箱69518號，封面註明「外賣仔周記」就得喇。我外賣仔俾大家暢所欲言呀！

CNBLUE：
我好中意你哋架！一聽到你哋嚟香港開Bluestorm即刻癲咗，仲好好彩咁搶到最前嘅位:D
我好中意你哋嘅每一隻歌:$
四子要繼續加油Fighting:-*
kimi boice'

Siu Q

AKB48：
你哋真係好可愛呀！之前陽菜可以嚟香港真係好呀！唔知敦子幾時先會嚟香港呢？我會一直支持你哋，AKB48一定越嚟越紅！
Siu Q

許廷鏗：
你首「螞蟻」真係越聽越好聽，仲好感人呀。你有冇女朋友架？係咪要拍好多次拖先至咁有感情？唱多D呢類嘅歌喇，我哋會支持你！
陽光女孩

楊丞琳：
Rainie你真係好可愛，而家嘅髮型真係好襯你，好鍾意睇你做戲！你同張孝全係咪好好朋友？Rainie真係好得人中意！加油！
阿貓

**Text**_外賣仔 **Art**_Gary

153

## DAY2 假環保

早排有成千個學生去咗科學園，搞咗個無火太陽能BBQ，提醒公眾響應低碳生活，保護地球。但小學雞就覺得呢個舉動極唔環保，用咗成千幾張紙先燒到條腸仔同魚蛋，真係本末倒置！計小學雞話，平時喺學校用本生燈燒百力滋就又環保又好食，起碼啲煤氣費係學校俾先嘛！如果用埋學校嘅插蘇嚟叉電話同遊戲機，仲可以幫屋企慳返啲電費，咁就真係大智慧喇！

是日金句 「太陽能BBQ，燒完人都變焦。」

## DAY3 腦殘杯麵

今日放咗學之後去咗沙膽強屋企打機。正當我哋打得性起嘅時候，沙膽強就話肚餓去叮杯麵食。過咗冇耐，突然間聞到好似沼氣一樣咁臭嘅味傳過嚟，我哋出廳見到煙霧彌漫，小學雞心諗搞邊科呀？之後成班人入廚房見到臭味嘅源頭係喺微波爐發出，所以即刻拔走個插頭，開窗再衝過隔籬屋……原來沙膽強條友用微波爐叮杯麵唔記得加水，真係智障呀!!!!!!

是日金句 「食麵唔加水，點放得入嘴！」

## DAY4 惡尼老鼠

今日小學雞睇睇吓〈萬壑之王〉嘅時候，有個不知名嘅人WhatsApp我，以下係我同佢嘅對話內容：

神秘人：「你係邊個？」
小學雞：「Who the hell are you？」
神秘人：「????」
小學雞：「來者何人？報上名來！」
神秘人：「你Hi我先㗎！」
小學雞：「大膽刁民，敢誣衊本皇！該當何罪!?」
神秘人：「……」
小學雞：「朕一定要嚴懲你，打你入冷宮。」
神秘人：「我男人嚟㗎喎……」
之後，小學雞就Block咗佢，繼續煲劇。

是日金句 「係人都Say Hi，隨時早啲Die。」

## DAY5 樂器

今日上音樂堂，老師問我哋有冇人玩過樂器，之後四眼明企咗起身，仲走咗出去Miss個位度話：「我屋企下Download佢音樂Game落嚟，玩俾你睇吖！」之後全班睇住佢用手機裝〈太鼓之達人〉，之後玩咗一首歌，之後Miss話：「你坐返埋位先！」跟住冇人出聲。好彩小學雞冇話識Beatbox，唔係又俾人笑㗎喇！

是日金句 「打機當樂器，今鋪瘀到痺。」

## DAY6 影相

呢排頻頻有人結婚，今日又到二叔公個女擺酒嘅大日子。去到之後，有幾個唔識嘅女仔走埋嚟俾部電話我，叫我幫佢哋影相。佢哋俾部電話我嗰時已經開咗影相Mode，我只要撳一下就影到相，點知我手指粗得滯，唔小心掃到個Mon，佢部電話又咁好反應即刻轉咗去前置鏡頭。嚓一聲，我唔小心影佢咗自己嘅玉照，個嘴仲要O得好樣衰。咁人哋聽到嚓一聲之後就走過嚟睇喇，我嗰刻自知好爛，即刻俾返部機人哋就急急腳走咗，希望張玉照唔好俾人Post上網喇！

是日金句 「得閒幫人影吓相，影埋自己個Chok樣。」

## DAY7 報銷

是咁的，今日一早起身，見到女神噚晚SMS俾我都未Re佢，咁小學雞就攞住部電話去廁所喇。除咗條褲，右手青龍，左手電話，一路放水一路Re佢SMS，真係人生一大享受。點知問題嚟喇!!! 我啲尿竟然分開兩條水柱射出，直接射晒去我兩隻腳、廁板同地下度。我頂!!! 咁我就將部電話放喺個廁所個水箱度，點知個水箱頂係斜嘅，成部電話就係咁跣咗落屎坑，今次真係成部機要報銷喇……

是日金句 「一心又豈能二用，連天都將我戲弄。」

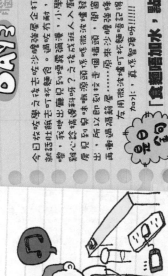

# divination

命運，除咗係靠自己掌握之外，仲都好睇一個人嘅運數。如果想預測自己嘅運程，或者有任何占卜疑問，各位同學仔唔好再拖喇！快啲E-mail嚟divination@yes.com.hk搵我占占子發問喇！如果想用某一種特定嘅占卜方法，占占子都可以幫到你㗎，只要你來信嘅時候註明就可以㗎喇！

## 占占子教室

## 瓜子占卜法

好多人都鍾意喺農曆新年食瓜子，但係大家可能唔知道，瓜子除咗係零食之外，喺中國古代嗰時仲係其中一種占卜工具嚟㗎！今次占占子就會教大家點樣用瓜子占卜你嚟緊一星期有咩要注意嘅事喇！另外占占子要提提大家，大家一定要抱住認真嘅心態占卜，出嚟嘅結果先會準㗎！

### 占卜方法

**Step 1：**
伸出你嘅右手。

**Step 2：**
用右手隨意拎一堆瓜子。

**Step 3：**
然後每4粒咁平均撥開。

**Step 4：**
睇吓最後剩低幾多粒瓜子，咁就可以占出嚟緊一星期要小心嘅嘢喇！

### 占卜結果

**1粒都冇**
**—小心俾人出賣**

你對人冇乜機心，認為每個都係好人，人哋對你講奉承嘅說話就令你飄飄然，令你更加信佢。但係佢可能一直喺你背後講你是非，周圍散播對你唔好嘅謠言，但你仲啲盛盛，當正對方係好朋友添！

*占占子贈言：正所謂「防人之心不可無」，人哋講嘢你唔可以盡信呀！你平時戴條藍水晶吊墜，可以幫你頭腦清晰啲，等你可以分辨到是非呀！

**剩返1粒**
**—小心愛情陷阱**

你要特別小心喺感情方面俾人呃，跌入人哋嘅感情圈套呀！嗰個人有機會係你識嘅男/女朋友，當你哋發展得唔錯嘅時候，就會無意中發現對方一早有男/女朋友；又或者係佢同你拍咗拖一段時間，你對佢死心塌地，但係佢唔係真心鍾意你，最終受傷嘅係你自己。

*占占子贈言：喺床頭擺一棵比較大嘅植物，可以幫你化解喺愛情方面會遇到嘅麻煩事㗎！

**剩返2粒**
**—學業唔多順利**

睇嚟你最近喺學業方面遇到唔少阻滯喎！有啲計劃唔可以如期完成，或者有突如其來嘅同事出現而破壞你嘅大計、拖慢進度，又或者要解決某啲事情嘅時候困難重重，要花好多精力、心機先可以完成，令你一直喺迷惘、困惑當中。

*占占子贈言：你可以著多啲綠色衫或者帶啲綠色嘅嘢，因為綠色可以幫你驅走阻滯㗎！

**剩返3粒**
**—人際關係不和**

呢段時間你比較容易同人有爭執，磨擦同埋誤會。可能因為你嘅脾氣唔太好，好易會一時衝動而講錯嘢而得罪人，又好易因小事而發脾氣，又或者講嘢嗰陣令人哋誤會你嘅意思，搞到越描越黑。

*占占子贈言：你可以擺啲紫色嘅擺設喺房，又或者戴紫色嘅飾物，都可以幫你調和人際關係方面嘅問題㗎！

156

# 占·占·占Q&A

## Q1 星座男女

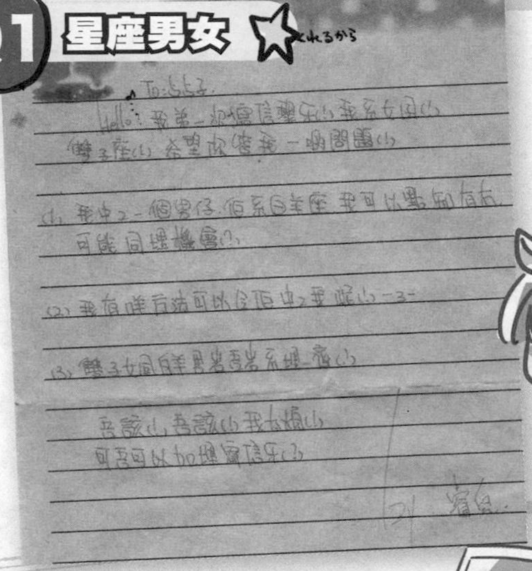
To:占占子
Hello~!我第一次寫信嚟架!我系女仔!
雙子座!希望你答我一啲問題!
(1)我中左一個男仔,佢系白羊座,我可以點知有冇可能同埋機會?
(2)我有咩方法可以令佢中左我呢?-3-
(3)雙子女同白羊男究竟系唔系一齊?
唔該!唔該!我好煩!
可唔可以加埋寫信架?
—— 睿兒

**To：睿兒**

A1：以星座嚟講，你哋兩個嘅性格相當之夾㗎！屬於風象雙子座嘅你，同埋屬火象白羊座嘅佢，同樣都係陽性星座。加上你哋兩個嘅星座位置同埋排列角度都有啲似，所以你哋兩個嘅性格同埋行為模式都好接近，你哋會互相欣賞同埋吸引對方。

A2：你右手可以戴條粉紅色手鍊，同埋可以粉色信紙寫信俾佢，咁你哋嘅關係就會慢慢拉近㗎喇！

A3：同A1嘅答案一樣，你哋嘅性格咁似，又容易互相了解到對方諗乜，梗係好適合喺埋一齊喇！

**占占子**

## Q2 同日出生

**To：占占子**
你好呀！我係第一次Send E-mail過嚟架！山羊座，12月30日生日。
我嗰班嚟咗一個插班生，同我同年、月、日生日，一樣係山羊座。睇咗占占子，某一期〈yes!!〉話山羊座男女好適合一齊。
Q1: 我哋係咪可以一齊？（我哋性格差唔多）
Q2: 我下半年啲學業，會唔會好啲？

**By糖果**

**To：糖果**

多謝你一直都有睇「占占子教室」呀，你果然學到嘢啵！

A1：冇錯喇！你哋嘅星座一樣，又係同一日出生，自然性格都會好似喇！至於你哋會唔會喺埋一齊，等占占子幫你用塔羅牌占卜吓喇！抽到嘅係一張逆位嘅Seven of Cups呀！

呢張牌叫做聖杯7，係一張反思嘅牌。呢張牌係代表白日夢、夢想、一廂情願同埋慾望。即係話你同佢好多方面都好似，你好想同佢喺埋一齊，但係暫時嚟講呢啲都係你單方面嘅幻想。可能你已經有男朋友或者佢已經有女朋友，你哋之間嘅感情會變成多餘咗嘅貪心同慾望，所以你哋喺埋一齊未必有好結果。不過呢張牌只係代表近期嘅嘢，你得閒可以睇返占占子前幾期教嘅愛情占卜法，間中幫自己占吓都得㗎！

A2：山羊座下半年嘅學業運唔係太好，你會因為一啲小事而令自己學業退步，所以你記得要俾心機溫書，唔好俾啲雜念阻到你溫書呀！

**占占子**

## Q3 愛火重燃？

**To：占占子**
你好呀！～我第一次寫信嚟，我係獅子女嚟㗎！（7月31日生日）13歲…
我同以前男朋友散咗，不過想知佢仲鍾唔鍾意我，我仲鍾意佢㗎。
佢係天蠍座^^（10月26日生日）
一定要抽中我><（Thx）

**By MiMo("傷"愛)**

**To：MiMo("傷"愛)**

等占占子用今期嘅瓜子占卜法幫你占吓你嘅愛情運喇！結果係：剩返1粒。其實點解你哋會分手呢？係唔係佢主動同你提出分手㗎呢？喺呢段感情入面，天蠍男可能並唔係鍾意你，所以喺你哋拍咗拖一段日子，就會同你分手。占占子仲占到呢個男人已經開始搵緊第二個女仔做佢女朋友，所以個男仔已經唔鍾意你喇！如果你仲係咁鍾意佢嘅話，咁不如將啲注意力轉去溫習、參加多啲課外活動喇，你可能會喺學校以外嘅地方識到其他更好嘅男仔！呢段冇結果嘅愛情，不如盡早放棄喇！

**占占子**

**「占卜教室」**占占子，精通中、西、埃及、印度等各地唔同嘅占卜術，外號「占事幫女郎」，每當身邊朋友遇到咩問題，占占子都會幫佢哋占卜解困。記住隨信附上你嘅姓名、出生年月日同埋疑問，E-mail嚟**divination@yes.com.hk**或者郵寄到觀塘郵箱69518號，註明「占占子」收就得㗎喇！占占子等緊你呀！

**Text**_占占子 **Illustration**_Apo **Art**_kIT

# 笑到甩肺！「圖」寶樂園

## 難分真假EDC

近排頻頻見報嘅Edison，唔知係咪潛咗水呢？不過俾人發現佢身邊經常有一位啡髮中年漢出現。而且佢哋無論身型定係衣著都極之相似，搞到EDC成為咗萬能Key！

EDC當時應該係講：「睇清楚附近有冇狗仔先好出閘！」

邊個係EDC呢？

老闆有時都要搶住做嘅哪嘅工作，幫手推車。

## 民建聯改圖

早前嘅區議會選舉，民建聯贏足幾條街，攞到百幾個區議會議席。佢哋一班核心黨員就梗係要出嚟同公眾謝票喇，點知佢哋揸住6隻字嘅紙牌，網友見到都紛紛改咗紙上面嘅字，成為一系列更好睇又有意思嘅改圖。

原圖

 肯叫我契爺未
 多謝李克勤
 结束一党专政

 追究六四責任
 民建聯最無恥
 我是賣國賊！！！

 請你冷靜啲！
 番印度哋蕉啦
 今晚舉行蛇宴

 S E E D 呢！！！

 ^_^ _v_ 吹咩 ^v^ =_=

## 唐唐醫力改圖

疑似下屆特首唐英年，最近都積極備戰，佢頻頻落區探吓啲老人家同有需要嘅市民。佢去到其中一戶人家嘅時候，仲試吓瞓人哋張床，Feel吓張床舒唔舒服，搞到呢個動作又俾網友惡搞。

原圖

屍變中……

英年早逝 死不瞑目

 肥婆按摩中……
 總理悼念……
 死唔眼閉！
長毛抬走佢！
梁振英鞠躬中……

# 創意對白設計結果公佈

1077期就揀咗呢張「企鵝遊行」嘅照片，同大家玩個遊戲。係俾大家運用天馬行空嘅想像力，設計一啲喀張圖而又搞笑抵死嘅對白。結果來信非常之踴躍，經過講Gag佬一輪篩選後，就有一位幸運兒Cherry成為冠軍，至於神秘獎品一份，將有專人聯絡你喇攞。

你隻白熊快啲死開，我係呢個地方嘅業主。
（對白設計：Cherry）

## 今期設計對白圖

今期亦準備咗另一張「各國元首賦女」嘅相俾大家玩吓，自問計仔多多嘅朋友，即刻聯同你嘅設計對白同個人資料，E-Mail寄去gagweek@yes.com.hk。

最有創意嘅一位幸運兒，將可得到神秘獎品一份，快啲參加喇！仲等!? 結果將於1081期〈yes!!〉公佈。

嘩！正呀喂!!
（設計對白）

## 其他優異設計對白：

起身喇！仲瞓，幾點呀而家？
（對白設計：小彬彬）

Wow，夠鐘睇〈放學ICU〉喇！
（對白設計：膠神）

你係一隻披著熊嘅羊，等我驗吓你身！
（對白設計：純粹意外）

北極人少企鵝多！
（對白設計：Miko）

# 笑話連篇

## (1) 精神分裂

有一日，魔王捉咗公主，公主一直叫。
魔王：「你即管嗌破喉嚨喇，右人會嚟救你㗎！」
公主：「破喉嚨！破喉嚨！」
右人：「公主，我嚟救你！」
魔王：「嘩！一講曹操曹操就到？」
曹操：「魔王，你叫我做乜呀？」
魔王：「嘩！見鬼喇！」
鬼：「弊！俾魔王發現咗添！」
弊：「邊個發現我？」
邊個：「關我咩事!?」
魔王：「Oh My God！」
God：「邊個叫我？」
邊個：「右人叫你。」
右人：「我邊有叫呀？」
據說魔王從此就患咗精神分裂。

## (2) 防火牆

A：「快啲走呀！隔籬屋火燭，就燒到嚟喇！」
B：「等我一陣……我開電腦先。」
A：「拎銀包、存摺就得喇！仲開乜鬼電腦呀？再唔走，燒死你㗎喇！」
B：「咪嘈喇……真係燒到過嚟嘅話，咩都保唔住，但係電腦有防火牆，開咗咪唔使怕火燒囉，死蠢！」
B：「!@#$%^%$#」

## (3) 有右人

屋外面嘅人：「屋裡面有右人呀？」
屋入面嘅人：「右人喺屋入面。」
屋外面嘅人：「你唔係人咩？」
屋入面嘅人：「我係耶和華草場上嘅一隻小羔羊。」
屋外面嘅人：「……」

## (4) 成語

語文老師為咗示範乜嘢係「垂頭喪氣」俾學生，老師就耷低頭，做咗一個動作，然後就笑騎騎咁問啲學生：「大家用一個成語嚟形容我頭先個動作。」之後同學們爭先恐後咁答：「聰明絕頂、一毛不拔、無法無天、寸草不生……」哦！原來老師係光頭。

## 為食狗與得意B

網址：http://youtu.be/Q-DtYp7HiCA

**有乜好睇：**有個好得意嘅外國BB，喺度食緊餅嘅時候，側邊隻大狗聞到餅香，於是走上前，希望呢個小主人可以俾幾塊餅佢食，點知隻大狗食完一塊又一塊，仲逗到小主人不知幾開心。

## 昭和時代唱「Mr. Taxi」

網址：http://youtu.be/ZH24zIPsKRY

**有乜好睇：**由一班中年大叔組成嘅昭和時代，繼上次惡搞唱完「Gee」後，今次又著晒緊身衫唱「Mr. Taxi」。見到幾位成員高、矮、肥、瘦樣樣有，而且舞姿極度騎呢，真係唔係有幾多個人可以睇晒成首歌。

## 美女化妝師大整蠱

網址：http://youtu.be/Fj-Bfxvp4Fs

**有乜好睇：**喺一個日本綜藝節目入面，請咗個卧底美女化妝師，專門整蠱一班男藝員。趁住男藝員化緊妝，美女化妝師就不時讚吓佢哋，又失驚無神錫個男藝員。最搞笑嘅係，個個俾佢整蠱嘅男藝員都好受落，鬼咩！人哋係靚女吖嘛！

## 串燒哥

網址：http://youtu.be/SVRzXLVM0aM

**有乜好睇：**內地近日風傳呢條關於「串燒哥」嘅短片，講呢位仁兄赤膊上身，一邊跳舞一邊整串燒，唔講仲以為佢食咗K仔。不過笑點唔係喺「串燒哥」度，而係後遠處另一個跟住「串燒哥」跳舞嘅大叔，大家一齊睇吓、跳吓喇！

## Conan 送外賣

網址：http://youtu.be/E8WvPHSMJ6c

**有乜好睇：**著名外國清談節目主持人Conan O'Brien，今次佢出動扮外賣仔，點知送外賣途中走咗去撩女仔，又食咗要送嘅外賣，搞到要求其買幾碗泰國湯頂當……好彩叫外賣嗰幾個女士都係佢Fans，唔係隨時俾人柄。

## 嚇鬼男朋友

網址：http://youtu.be/MQcyWErHJR4

**有乜好睇：**有個金髮鬼妹成日俾男朋友整蠱，於是今次佢決定嚟個大報復。佢趁住男友喺廳睇電視，喺天花板放隻假啲大蜘蛛落地，嚇到男朋友成個彈起兼大叫，今次真係報復大成功喇！

## 打尖夫婦遇上 Pro Sir

網址：http://youtu.be/FfdF1xGThZU

**有乜好睇：**話說早前有單新聞話有對40後嘅夫婦，恃老賣老，喺樂富搭巴士嗰時打尖，有見義勇為嘅少女將個過程拍低，夫婦喺片入面仲不時爆粗同作出人身攻擊……搞到連〈法證先鋒III〉嘅祥仔都睇唔過眼！

## 張耀揚唱「愛我別走」

網址：http://youtu.be/BD-6R5foKrI

**有乜好睇：**曾經演戲無數，做親都係古惑仔嘅張耀揚，近年唔多見佢出現，原來佢走咗去做歌手。喺呢個唔知乜嘢領獎典禮度，耀揚哥就高歌一曲「愛我別走」，佢唱得都有啲水準。但條片嘅點係喺啲留言版度，其中一個話：「佢個吓Wow…真係聽到我Wow…」

# 金翅曲佳鳥 惡搞歌詞

為咗表揚〈yes!!〉讀者咁熱烈踴躍參加惡搞歌詞，呢個星期又搵咗兩首好歌送俾大家。如果自問自己改嘅歌詞有返咁上吓，就即管Send E-mail過嚟喇！電郵係：**gagsong@yes.com.hk**。一個揚名立萬嘅好機會，你點可以錯過？

金翅曲佳鳥
大獎

## 出走（改）

原曲：許廷鏗「出走」（國語版）
改編作詞：讀者Freda

沿路漫天飛雪
你卻忽略當中的喜悅
雪花裡有種堅決
卻明瞭你我愛恨在交纏

三角戀中相約
愛情在藕斷絲連的觸覺中纏綿
我們都了解　愛終會撕裂
剩下遺言

追溯愛情的泉源
像拿捏著保險線　一再檢驗
你的側臉浮現胸前
歷史在重演　嘴角的甘甜

愛你的驚險　摸索著鋼線
踏空了　粉身碎骨的體驗
應驗了　占卜的預言
我們命中注定不會再團圓

重聽著留言　思念在重疊
眼眶裡鮮紅不絕
海風很鹹　海邊不再蜿蜒
遇上你之前　我不懂拒絕
你的膔腆

## 白袍內的人在嘆氣

原曲：樂瞳「短罪」
改編作詞：讀者小女子

白霧白燈似是預期　冷雨會紛飛
白月白花收起優美　冷雨正紛飛
白襪白衣似是白旗　求延長舊戲
白袍內的人怕被撇棄

但為了這小小距離　密密嘆氣
不捨不棄　期望會發現轉機

茫然地　未夠準備　未夠演技
但是分離　更是最想逃避
獨個天地　難延續的好戲
還欠你

默默地走始終跟你似隔了玻璃
默默地走始終驚你說句對不起
默默地走再會無期無言懷念你
白袍內的人已極淺氣

但為了這小小距離　密密嘆氣
不捨不棄　期望會發現轉機

未夠準備　未夠演技
但是分離　更是最想逃避
獨個天地　難延續的好戲
唯有你　能令愛旖旎　令愛添淒美
常回味　忘掉我自己

茫然地　未夠準備　未夠演技
但是分離　更是最想逃避
獨個天地　難延續的好戲
才最美

# 我們這一家

如果有一日，你同你嘅老死、又或者愛人住埋一齊，究竟你哋可唔可以相處得好呢？以下咁多樣生活習慣，有邊幾樣係講中你嘅呢？

**Q1.** 放學返到屋企將啲書同功課亂咁擺。

**Q2.** 書包總係亂七八糟，成日要揿好耐先可以揿到想要嘅嘢。

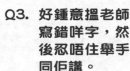

**Q3.** 好鍾意搵老師寫錯咩字，然後忍唔住舉手同佢講。

**Q4.** 去完廁所唔洗手。

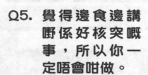

**Q5.** 覺得邊食邊講嘢係好核突嘅事，所以你一定唔會咁做。

**Q6.** 瞓覺前一定會先刷牙洗面。

將你揀咗嘅答案所代表嘅分數全部加埋，就可以搵到你屬於邊一類人㗎喇！

| | | | |
|---|---|---|---|
| Q1. | 係：2分 | 一時時：1分 | 唔係：0分 |
| Q2. | 係：2分 | 一時時：1分 | 唔係：0分 |
| Q3. | 係：0分 | 一時時：1分 | 唔係：2分 |
| Q4. | 係：2分 | 一時時：1分 | 唔係：0分 |
| Q5. | 係：0分 | 一時時：1分 | 唔係：2分 |
| Q6. | 係：0分 | 一時時：1分 | 唔係：2分 |

### A. 10分或以上 超級馬虎派

你係一個超級哩啡嘅人，返到屋企一定會將啲嘢亂咁放，無論做乜嘢你都係求求其其，絕對係公認嘅懶鬼！你間房一定又亂又唔乾淨，但你覺得完全冇問題。不過生活得太過哩啡嘅話，周圍嘅朋友就會覺得你對臭同唔乾淨，俾啲心機打理吓自己喇！

### B. 7至9分 馬馬虎虎派

雖然你對於好鬼懶嘅人有一定嘅包容力，但你都唔可以俾自己咁懶㗎嘛！每次你想打掃嘅時候，最後都會嫌麻煩而做一半咁做一半，就算打掃咗冇耐，你都會不知不覺咁將所有嘢打回原形或者唔記得啲嘢放咗喺邊。建議你將每日要用嘅嘢放喺固定位置，咁就唔會咁易唔見嘢。

### C. 4至6分 一絲不苟派

你做事好一絲不苟，間房一亂就會即刻令你食唔安，坐唔落，大部份一絲不苟嘅人都會好認真同努力，而且責任心好重，周圍嘅朋友都會以你做學習榜樣，不過同時你亦係一個冇乜幽默感嘅人，做事又成日講原則，仲要多管閒事，因住太過執著而令朋友疏遠你呀！

### D. 3分或以下 極度嚴謹派

你會將所有嘢都好整齊咁擺喺應有嘅位置，如果唔係你個心就好難靜落嚟。除此之外，你仲有嚴重嘅潔癖，就算間房留低一條頭髮都會令你周身唔聚財，所以你一定係對人對事都超級嚴格嘅人，不過對所有嘢都太過嚴格嘅話，唔只你會覺得辛苦，連周圍嘅人都忍你唔到，放鬆吓喇，朋友！

# 沉默聚會

喺一個朋友嘅聚會之中，你發覺大家都冇乜出聲，個個都係做自己嘢，而你都唔例外，你估自己做緊乜嘢？

**A** 專心食飯

**B** 玩手機

**C** 發呆諗嘢

**D** 睇雜誌

## 分析：測試你嘅愚蠢指數。

### A. 愚蠢指數：★★★★★（5★為最高）

你係一個天生鍾意發神經、真係癲癲地嘅人，當朋友暗示一啲秘密、或者同你打眼色嘅時候，你會傻傻地喺所有人面前問對方點解要動作多多、仲話有乜秘密大家唔聽得，搞到朋友尷尬到死，唉！你實在單純兼蠢到冇朋友呀！

### B. 愚蠢指數：★★★★

你係一個好自我中心嘅人，習慣將自己嘅諗法當係其他朋友嘅諗法，仲成日因為發現咗人哋嘅「秘密」而開心到飛起，但其實人哋嘅「秘密」根本同你所諗、所知道嘅嘢相差十萬八千里，你喺未查出真相就周圍唱俾人聽，真係又蠢又鈍呀！

### C. 愚蠢指數：★★☆

你係一個擁有敏銳觸覺、觀察力又相當強嘅人，人哋有咩奸計、做嘢偷偷摸摸都逃唔過你嘅法眼，但係你喺睇穿佢哋嘅時候，依然唔識得去掩飾自己嘅自滿，最後反而會俾其他線人留意到你嘅行蹤同諗緊咩，你真係聰明反被聰明誤呀！

### D. 愚蠢指數：☆

你係一個八面玲瓏、無論咩事都會睇通睇透嘅人，你深知世間天下事絕對唔會有免費午餐嘅道理，好識睇人眉頭眼額做嘢，你呢種性格好在唔會估錯事、唔好就係人哋做咩事都俾唔到驚喜你，好難冚到你開心。

# 偷拍照片

今日你突然收到一封信，信裡面有一張你俾人偷拍嘅相，你覺得好驚，你估呢張相會係以下邊類型嘅相呢？

Ⓐ 床照

Ⓑ 同異性錫咀嘅相

Ⓒ 沖涼相

Ⓓ 自己個喊樣

## 分析： 你係一個令情人頭痛嘅人嗎？

### A. 情人頭痛機會率：85%

你隔幾日就會轟炸對方，就係因為你鍾意講嘢同發脾氣嘅性格，令你嘅另一半冇時間休息。你心入面有好多不安同急躁，好想對方注意到，所以成日煩住對方，但對方有時候都要忙自己嘅嘢，但你就會覺得對方唔關心你，然後開始發脾氣，長遠嚟講，你咁嘅性格一定會嚇怕對方！

### B. 情人頭痛機會率：70%

你過度神秘嘅性格令情人捉摸唔到你到底諗緊乜，對方唔知你仲愛唔愛佢，所以你係一個令情人頭痛嘅人。雖然表面上你好似好堅強，但其實你好驚受傷害，所以人哋一估到你諗咩，你就好會好敏感，對人好有防範，唔敢將心事話俾人聽，你對另一半都唔例外，所以你嘅情人都好難了解你。

### C. 情人頭痛機會率：40%

基本上你係一個令情人頭痛嘅人，因為一旦大家相處得耐咗，你就唔會表現出你有幾愛佢，仲會變得越嚟越多要求，雖然你都知咁樣做唔啱，但係你依然會咄咄逼人，要求對方做呢樣嗰樣，如果另一半仲肯包容你，咁就證明佢好鬼愛你囉！建議你都要氹吓對方，俾佢知你仲關心佢。

### D. 情人頭痛機會率：0%

你絕對唔係一個令情人頭痛嘅人，因為你永遠會付出好多，然後俾好多愛同鼓勵對方，但亦因為咁，喺一段感情入面，你就好似俾人搾乾搾淨咁，就算人哋勸你唔好再咁做，你都一樣唔聽，依然為對方做牛做馬，你可以為情人而放棄一切，但你咁樣好容易俾對方食住㗎！

# 舊信物

呢度有一張枱，你認為呢張枱嘅櫃筒放咗以下邊樣嘢呢？

Ⓐ 相簿

Ⓑ 玩具

Ⓒ 存摺簿

Ⓓ 日記

## 分析： 你點睇自己嘅過去 / 回憶。

**Ⓐ · 單純懷念**
同屋企人或者好友嘅事，你都會記得好清楚，因為你好珍惜同佢哋相處嘅時間，同佢哋共度過嘅美好時光會轉化成美好嘅回憶，每當諗起呢啲開心事嘅時候，你都會覺得好難忘，不過你唔會專登同家人或者朋友去同一個地方懷緬過去，你只會純梓喺個腦度懷念以前開心嘅回憶。

**Ⓑ · 只記快樂**
你會好好記住細個所玩過嘅遊戲、無論同朋友玩又好，自己喺屋企打機都好，甚至好多去Camp冒險嘅開心事，你都會記晒喺個腦度，但係你一定唔會記啲唔開心嘅事。喺某程度上，你重視將來多過過去，唔會好沉醉咁懷緬過去，就算懷緬過去，你都只會懷緬開心嘅往事。

**Ⓒ · 記事神童**
你嘅記憶力相當驚人，幾多歲發生嘅事，又或者邊一年邊個月份你做過嘅嘢，你都記得一清二楚。你個腦就好似一部電腦咁，你可以隨時好清晰咁話俾人聽往事發生嘅時間、地點，所以當朋友唔記得過往大家發生嘅大小事，你都會好似電腦咁將啲「數據」搬晒出嚟。

**Ⓓ · 執著過去**
你仲好執著喺過去，成日沉溺已經冇咗嘅感情。就算你回憶返好開心嘅往事，其餘令你覺得好煩厭嘅事都會自動跳入你個腦度。你成日會諗「如果當初咁做就好喇！」成日後悔自己嘅決定，所謂「有早知，冇乞衣」，你都係唔好再怪自己當年冇做嘅事，人要向前望喇！

# 永恆愛情

就算你已經拍緊拖，你都未必認為另一半可以同你長相廝守，究竟你將來嘅愛情會變成點？就等呢個測試話你知喇！

**Q1.** 你覺得自己靚唔靚仔／女？

靚－Q1
唔靚－Q2

**Q2.** 你有冇鍾意嘅人？

有－Q4
冇－Q3

**Q3.** 有冇人話你好可愛？

有－Q5
冇－Q6

**Q4.** 你經常用左手拎水杯？

係－Q7
唔係－Q5

**Q5.** 屋企有冇養寵物？

有－Q8
冇－Q7

**Q6.** 拍超過一次拖？

係－Q10
唔係－Q9

**Q7.** 如果你鍾意咗一個拍緊拖嘅人，你介唔介意做第三者？

介意－Q9
唔介意－Q11

**Q8.** 你好憎傾電話？

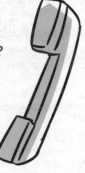

係－Q12
唔係－Q10

**Q9.** 你係唔係成日偷偷哋嘅？

係－Q14
唔係－Q13

**Q10.** 如果要你揀愛情／朋友其中一樣，你會揀？

愛情－**A**
朋友－Q14

**Q11. 意大利菜同日本菜，你鍾意邊樣多啲？**

意大利菜－Q13
日本菜－Q16

**Q12. 你係唔係好鍾意食香口膠？**

係－Q15
唔係－Q14

**Q13. 你會唔會用大部份零用錢嚟買玩具？**

會－C
唔會－Q16

**Q14. 做錯事嘅時候總係想逃避？**

係－B
唔係－D

**Q16. 你成日用八達通俾錢，搞到負晒數？**

係－A
唔係－C

---

## 分析： 你將來嘅愛情會變成點？

**A.充滿驚喜**

你將來嘅愛情一定充滿住好多唔同嘅驚喜，可能你同情人經常去旅行，又或者就算唔係大時大節，大家都會製造驚喜俾大家，雖然大家感情一定會不斷加深，但係呢位伴侶極有可能唔會係你而家鍾意嘅人，你就算幾珍惜而家呢位愛人都好，佢都未必可以同你長相廝守。

**B.波折重重**

你將來嘅愛情會波折重重，喺愛情路上好崎嶇，但你最後會搵到一個可以同你長相廝守嘅伴侶。你而家唔應該同一個你鍾意佢而佢唔鍾意你嘅人糾纏落去，應該放棄嘅時候就要放棄，要識得放手，如果唔係只會令大家痛苦。而真正愛你嘅人可能就喺你附近，要好好把握機會呀！

**C.真愛平淡**

你將來嘅愛情可以話非常之平淡，但你必定會遇到真愛，所以話平淡未必唔係好事，只要雙方享受呢種平淡嘅相處方式就得喇！若果你想有美滿嘅愛情，就要主動積極出擊，全力專注愛情，所以仲讀緊書嘅你，而家仲未係時候拍拖呀！你要等到第時大個咗，出咗嚟做嘢先會遇到同你長相廝守嘅人。

**D.冇乜料到**

嘩！你將來嘅愛情可能會相當唔掂喎！可能隨時連一個終身伴侶都冇，實在要多多加油，你要多啲留意身邊嘅人同埋主動啲。你成日好容易因為一啲小事而令機會白白流走，你要主動同勇敢啲，好好捉緊愛情，唔好講一啲傷害對方嘅說話，多啲關心身邊嘅人，咁你先會有機會搵到你嘅終身伴侶。

Text_雜 Illustration_Apo Art_wAi

# 11月18日 至 11月24日

## 白羊座 ARIES (03/21~04/19)

王子

愛情：★★★★
魅力：★★★
友情：★★★
健康：★★★
事業/學業：★★★★

愛情：雖然功課使你非常忙碌，但愛情已在不自覺間悄悄出現，本周可望在校園展開戀情。

學業：數學科讓你感到困倦，轉為溫習英文科會讓你的成績有進步。

整體：有些事情的進展符合你所期待的。財運上不要跟別人太過計較，因為各人都有不同的賺錢能力。

## 金牛座 TAURUS (04/20~05/20)

許廷鏗

愛情：★★★★
魅力：★★★★
友情：★★★★
健康：★★★
事業/學業：★★

愛情：只要說話甜美點，主動開口與對方說出自己的想法，就一定能夠得到滿意的回應。

學業：本周會面臨成績無法往上攀升的困境，千萬不要因此而產生負面情緒，影響學業。

整體：本周五是你的幸運日，易得到外界的幫助，有貴人助你一臂之力，運勢自然能提高。

## 雙子座 GEMINI (05/21~06/21)

羅力威

愛情：★★★★
魅力：★★★
友情：★★★
健康：★★★★★
事業/學業：★★★

愛情：雖然你忙於溫習，令你一時間無法集中精神關心對方，但對方心裡仍然很掛念你。

學業：有很多功課想要著手完成，但目前的你無法獨力完成，有空的時候便請教一下班內成績較好的同學吧！

整體：獨行獨斷肯定會遇上不少阻礙，做事還是採取合作的態度比較好。

## 巨蟹座 CANCER (06/22~07/22)

泰民@SHINee

愛情：★★★
魅力：★★★
友情：★★★
健康：★★★★
事業/學業：★★★★

愛情：愛情運平穩，不會有太大起跌。但可能會因為愛情而忽略家人，建議你把關愛之心多分一點給家人，不要只著重於愛情。

學業：只要確認學習目標和方向後，在別人支持下，本周的學業運會得到提升。

整體：要迴避那些言詞閃爍、口沫橫飛、華而不實的朋友。

## 獅子座 LEO (07/23~08/22)

張根碩

愛情：★★★★
魅力：★★★
友情：★★★★
健康：★★
事業/學業：★★★

愛情：與對方很多事情上都不是你想像般嚴重，很多問題最終都能迎刃而解。多點關心對方吧！關心是打開對方心門的最好方法。

學業：本周是付出越多，收穫便越多。考試快到了，是制定溫習時間表的大好時機了。

整體：小心腸胃出現問題。另外多去結識朋友會提升財運！

## 處女座 VIRGO (08/23~09/22)

藝聲@Super Junior

愛情：★★
魅力：★★★★★
友情：★★★
健康：★★
事業/學業：★★★

愛情：容易因為人際上的困擾而影響愛情運勢，別一直擔心別人的事，好好經營屬於自己的愛情吧！

學業：不要在小事上計較而忽略了大家的努力，多參加研討會等團體活動，便能改善與別人合作處理功課的技巧。

整體：本周可能會患感冒，要小心身體呀！

水瓶座的朋友要注意，本周可能因為學業而忽略身邊的愛人，建議抽多點時間陪伴他/她，否則伴侶可能會有想離開你的念頭啊！

Text_占女郎
Art_AK

## 天秤座 LIBRA (09/23~10/22)

糖妹

愛情：★★★★
魅力：★★★★★
友情：★★★★
健康：★★★

事業/學業：★★

愛情：單身的朋友多參與課外活動，遇到戀愛的機會便會增多；熱戀中的你在感情上有不錯進展，伴侶會給你意外驚喜。

學業：學習必須先弄清楚方向和目標，不然很可能會碰一鼻子灰，還得不到你想要的成果。

整體：別悶在家中，多點接觸外面的世界，財運會慢慢增加。

## 天蠍座 SCOPRIO (10/23~11/22)

炎亞綸

愛情：★★★
魅力：★★★
友情：★★★★★
健康：★★★

事業/學業：★★★★★

愛情：單身者的感情運勢平平；已有伴侶的要注意兩人之間的摩擦，快點利用課餘時間互相溝通一下吧！

學業：本周會因為你努力參與許多課餘活動而營造出不錯的合作機會，這些合作夥伴的成績不錯，能帶動你的成績穩步上升。

整體：本周五是你的低潮期，難以得到外界幫助，要注意如何調整自己的心情啊！

## 人馬座 SAGITTARIUS (11/23~12/21)

八乙女光@Hey! Say! JUMP

愛情：★★
魅力：★★★★
友情：★★★
健康：★★★★★

事業/學業：★★

愛情：不應過於堅持自己的看法，感情運勢頗差，你不妨多在不同觀點了解情人的想法吧！

學業：本周有很多瑣碎事情佔去你不少時間，不要期望功課能三兩下便完成，免得忙中有錯。

整體：要減少盲目衝動的花費，否則會引起財政上的煩惱。

## 山羊座 CAPRICORN (12/22~01/20)

周杰倫

愛情：★★★
魅力：★★★
友情：★★★★★
健康：★★★

事業/學業：★★★

愛情：與心儀對象會有浪漫邂逅的機會，他/她是你參加聚會中認識的人。要保持隨遇而安的心態，不要刻意接近對方。

學業：本周會花多精神跟同學溝通和打交道，要懂得分辨出同學的言論是否對你有益。

整體：注意任何創意及想法，最好同時想出落實的計劃與配套的措施。

## 水瓶座 AQUARIUS (01/21~02/19)

圭賢@Super Junior

愛情：★★
魅力：★★★★★
友情：★★★★★
健康：★★★

事業/學業：★★★

愛情：戀愛中的朋友要對愛侶好一點，否則他/她可能會對你有若即若離的感覺，直接影響你們的感情。

學業：學習上遇到艱辛的障礙，不管你將遭遇多少阻力，最終都可以找到許多志同道合的夥伴，一起解決問題。

整體：本周要小心理財，也要善用時間。

## 雙魚座 PISCES (02/20~03/20)

小薰@黑Girl

愛情：★★
魅力：★★★
友情：★★★★★
健康：★★★★★

事業/學業：★★★

愛情：容易忽略家人及另一半的感受，情人善妒的態度讓你錯愕，有時候會令你心煩氣躁。

學業：無論你的學業在前進或是轉變新方向，都難免有一頭霧水的現象，你的言行舉止容易令人誤解你是沒有努力溫習的人。

整體：快樂隨性的做自己想做的事，自己想處理的事大都能如期進行。

171

all about "sex"

# 通「性」學堂

Miss Yes

話明係通「性」學堂，呢度係一個可以毫無忌違大談「性」、「生理」等等敏感話題嘅地方，鼓勵同學仔正面去講、去認識「性」，唔好再收收埋埋估估吓!! 快啲來信嚟發問喇!

## 男子精壯之道

早洩！陽痿！遺精！冇精出！攝護腺炎！攝護腺腫大！睪丸炎！附睪炎！陰莖癌！嘩！係唔係聽到都覺得好驚呢？呢啲都係男性生殖器官常見嘅病嚟㗎！咁點預防好呀？唔使驚，就等Miss Yes今期教吓你養身之道喇！男士們如果想健康長壽，就要學識點樣好好保護自己嘅「細佬」呀！

### 禁忌1 太早有性生活

一般嚟講，男士到咗24、5歲先算發育成熟，如果太早有性生活，性器官仲未發育成熟，會耗損精力，容易引起唔同程度嘅性功能障礙，到年紀大啲會好容易出現早洩、陽痿、腰酸骨痛同提早衰老等跡象。

### 禁忌2 性生活太頻密

適量嘅性生活可以令人身心舒暢，對健康同心理都有好處，但係如果縱慾過度，唔識節制性慾，生殖器喺長期充血嘅情況下，有機會引起性功能障礙，例如陽痿、早洩、攝護腺炎、攝護腺腫大、射唔到精等病症。

### 禁忌3 日日著牛仔褲

醫學研究證明，男士嘅生殖器官喺低溫嘅環境就最好，如果男仔成日著牛仔褲，會令下半身溫度過高，影響精子嘅繁殖能力同健康，所以男士們喺夏天或者天氣潮濕嘅時候就唔應該著牛仔褲喇！

### 禁忌4 不潔性交

男人患嘅性病，好似梅毒、淋病等等，都係同不潔性交有密切關係；不潔性交唔單只容易令自己有性病，仲會有機會傳染俾另一半，所以千祈唔好亂咁同唔識嘅人發生不潔性行為呀！

## 少貪多滋味，貪多害死你！

**1. 牛奶：**
食得太多奶製品會增加男性患前列腺癌嘅機會。

**2. 鹽：**
食得太多含鹽份嘅嘢食會令男性喪失性慾！

**3. 肥肉：**
男士食得太膽固醇越高嘅肉類製品，不舉嘅風險性越大。

**4. 麵粉：**
經常食麵粉製品會削弱男性嘅生殖能力㗎。

**5. 乳酪：**
乳酪除咗含高成份飽和脂肪酸之外，脂肪含量亦好高，所以對人體動脈有害，甚至會影響性慾。

**6. 啤酒：**
啤酒含有一種化學物質會限制精子嘅繁殖能力，仲有可能令男士性能力變差，嚴重起嚟仲會不育添！

**7. 餅乾：**
餅乾、點心嘅成份含有損害健康嘅氫化（硬化）植物脂肪，影響男性生殖器官海綿體組織，影響陰莖勃起嘅能力㗎！

## 多食進補身體好！

**1. 番茄：**
番茄紅素能夠抗氧化，醫學證實佢有抗前列腺癌嘅作用喇！

**2. 核桃：**
食核桃可以「補腎健腦」，連馬來西亞嘅醫學院都用核桃抽取物做藥丸，作為「偉哥」嘅代替品！

**3. 韭菜：**
韭菜補肝腎、助陽固精，喺藥典有「起陽草」之名，用嚟醫陽痿好有效喇！

**4. 海藻：**
男士嘅身體缺乏碘嘅話，性功能會衰退或者冇乜性慾。食多啲海藻類嘅食物，例如海帶、紫菜、裙帶菜可以補充碘質呀！

以上咁多點都係Miss Yes俾男士嘅壯陽健身小貼士，各位男士記住跟住做喇！祝你哋個個越嚟越龍精虎猛！

172

# 通「性」學堂

通「性」學堂由堂主Miss Yes主持,每期解答讀者對「性」嘅疑問,亦會分享生理常識,滿足各位同學仔嘅好奇心。唔好猶豫,快啲將你哋嘅「性」疑問電郵到 **missyes@yes.com.hk**,或郵寄至**觀塘郵箱69518號Miss Yes收**,即管放馬過嚟喇!

## 通「性」Q&A

### Q1 陰毛可剪?

To Miss Yes, 你個你好,我今年12歲,第一次寄信俾你⋯希望可以抽中就啦!!! Thx!

Q1: 我啲陰毛會生喺邊,剪左佢會唔會生返?

Q2: 第一次嚟M前會有咩兆頭?

Q3: 我成日比啲硬物撞到自己啲某位度,會唔會對發育有問題?

THx! 抽中我! ╳╳

By: 無知的小女子

**To:無知的小女子**

1. 陰毛其實同頭髮或者身體上其他體毛一樣,剪陰毛就好似剪頭髮同剃鬚咁,剪完之後都會生返出嚟。其實陰毛對身體冇害處,佢嘅作用係為咗減少陰部喺性交時產生嘅摩擦所造成嘅損傷同防止細菌入侵性器官。如果你認為陰毛唔係太美觀嘅話,修吓佢都可以。

2. 你所指嘅係唔係第一次嚟經之前會有咩徵兆?其實每個女仔嚟經之前都會有啲徵兆,不過有啲人嘅徵兆比較明顯,有啲人就冇咁明顯。其實每次嚟經嘅前幾日會覺得好劫,仲會多咗好多白帶,陰部亦會比平時濕潤。通常第一次嚟經嘅流量都唔會太多,你一定有足夠嘅時間買M巾,所以唔使太擔心。

3. 你所指嘅係邊個身體部位呢?邊個部位都好,你都要識得保護自己,唔好俾硬物撞到呀,尤其係胸部,成日俾外物撞到胸部有機會影響發育㗎!

**Miss Yes**

### Q2 月事疑問

**To:Miss Yes**

我第一次寫信嚟,希望你可以解決我的難題。

1. 我已經12歲,點解仲冇M?

2. 我有陣時自慰,會唔會影響發育?

希望你可以解答我的問題

By小可愛

**To:小可愛**

1. 女性嘅青春期係因人而異,每個人發育嘅進度都唔同,唔係其他女仔開始發育你就會同時間開始發育,發育係要因個人身體嘅狀態而定。女仔正常由9-15歲開始發育;個人嘅飲食、生活習慣同遺傳都有機會影響發育嘅進度。你而家先得12歲,仲有大把時間發育,唔使太早擔心冇M到喇!

2. 基本上自慰係唔會影響健康同發育嘅,只要唔過度縱慾同影響日常生活就OK㗎喇。仲有千祈唔好用未清潔乾淨同未消毒嘅外物自慰,因為咁樣好易令細菌進入陰道,令陰道受細菌感染同發炎㗎!

**Miss Yes**

### Q3 問題小生

**To Miss Yes:**

Hihi～我今年13歲,有啲問題想問你:

1. 如果一個女仔吞咗精液會唔會懷孕?

2. 肛交懷孕機會大唔大?

3. 女人懷孕時可唔可以做愛?

4. 性無能有冇得預防?

抽唔中小弟都希望回覆XP

ByMickey

**To:Mickey**

1. 女仔就算吞精都唔會有BB,因為男性嘅精液要進入女性嘅陰部先會有機會令女性有BB,吞咗精之後,精子去到胃部都會俾胃酸整死,所以吞精冇可能令女士懷孕。但Miss Yes相信冇咁女仔鍾意吞精,做男仔嘅應該要尊重對方嘅感受先得,知唔知?

2. 雖然肛交基本上係唔會令女士懷孕,但如果男士喺抽插女士肛門期間的精液流咗落陰道,係會有機會令女士懷孕。

3. 女人喺懷孕早期係可以做愛,但係到咗懷孕後期,胎兒成咗形之後就唔適宜再做愛住。

4. 性無能都有分先天同後天,想喺後天保養、預防性無能嘅話,你今次真係好彩喇,因為今期通「性」學堂Miss Yes教各位讀者養身壯陽之道,快啲溫熱隔籬嗰版喇!

**Miss Yes**

**Text_Miss Yes Illustration_Apo Art_Ravi**

# 愛情急症室

電郵：lovesick@yes.com.hk
郵寄：觀塘郵箱69518號愛情急症室收

逝去感情如何留得住，半點癡情還留殊不易……

登登登凳！又到咗今期〈愛情急症室〉嘅時間。自從同大家見面後，都收到唔少善男信女嘅來信，真係拆信都拆到手軟。不過唔緊要，你哋多啲寫信嚟，我哋「無狄哥哥」同「若珍妹」就密啲手答，絕對樂此不疲㗎！好，閒話休提，繼續解答今期嘅來信先。

## 愛無狄

年少時被女玩，年長後玩女無數，人稱情場殺手鬼見愁，格言係：「世上冇溝唔到女嘅可憐蟲」、「男人可以風流，但唔可以下流」。主修君子儀態心理學，現職形象顧問，成功多次幫助電車男洗底。有求必應，提供「絕殺天橋」。

**To：親愛嘅愛無狄哥哥**

你好呀！我係第一次寄信嚟㗎。我而家讀緊中一。有啲嘢，我唔知點做好…

係咁嘅，小六時，有一個男仔叫A，我同佢好Freind，曾經日日同佢Send SMS，傾電話，佢俾我嘅感覺係好男女朋友咁，當時全班都以為佢鍾意我，我都幾開心，因為我當時同佢坐，日日玩得好開心。不過佢就冇認過佢鍾意我。而家中一，我同佢讀同一中學，只係唔同班，佢有時都會喺我課室門口同我傾偈。我當時鍾意過佢。

另外，而家我真係好鍾意一個男仔B，但係而家B好似同一個女仔C拍緊拖，不過佢哋就冇乜搞作。C又好似其實對B冇Feel嘅。女仔C曾經同一個男仔D拍過拖，而家散咗。C可以話係我朋友，但係我真係好鍾意B，日日夜夜都想著佢。

1. 我對A仲有Feel，我應唔應該揀佢？
2. A其實對我有冇Feel？
3. 我應唔應該揀B？（真係好鍾意B）
4. 如果我想B鍾意我，應該點做？

真係好希望抽中!!! 呢件事我煩咗我好耐。就算抽唔中，都要覆吓我！唔該晒！^_^

**By小穎**

## Case 1　ABC君

**To：小穎**

1. 你應該同A維持住好朋友關係先，試吓再深入咁了解A，然後再估下A啱唔啱自己喇！愛情係好奇妙嘅，如果你對佢冇Feel就冇Feel。

2. A當然對你有好感喇，佢一直都當你係好好嘅朋友，如果唔係佢都唔會得閒有事冇事搵你傾偈喇！佢俾同學傳佢鍾意你，佢冇即時澄清，咁就證明佢都好享受呢段曖昧嘅關係喇！

3. 如果要喺A同B之間做決定，咁你都講到明真係好鍾意B，所以你應該揀B。不過有時啲嘢真係好難話邊個好啲，有啲嘢要相處過先至決定到嘅。所以無狄哥哥都建議你睇定啲先，睇吓邊個啱你，而你又愛佢多啲，你千祈唔好見其中一個靚仔就決定係佢呀！

4. 首先你要知道，B而家同C拍緊拖，你又同女仔C係朋友，如果你貿貿然同咗B一齊，C可能會因為咁而嬲咗你。加上其他人會認為你係「狐狸精」，話你勾引B。如果你真係好鍾意，你應該問吓C嘅意見，睇吓佢哋係唔係仲會一齊，而唔係用橫刀奪愛嘅方式。不過，你同B做住朋友先喇，同佢傾多啲偈，接觸多啲嘅話唔定會日久生情呢！

**By愛他也愛他・無狄哥哥**

情若真不必相見恨晚，見到一眼再不慨嘆……

## 情若珍

雖然追求者眾，但佢格言係佢寧缺勿濫。拍拖無數，老外戀、忘年戀、姊弟戀、師生戀、畸戀都喺佢身上發生過。現修心養性，用情專一，大徹大悟，善惡分明，專責解決少女感情事。

## Case 2 朋友的愛

**To：情姐姐**

你好呀！我第一次Send信嚟，希望抽中我啦!!! Thx～！
件事係咁……
我今年讀中一。而家我好煩惱，因為我識咗個男仔，但係佢大我一歲，而且有女朋友，感情仲好好添架，佢對我都幾好，平時有講有笑，同佢一齊好開心架。問題如下：

1. 其實佢係暗戀佢，定係佢當佢係我嘅Fd???
2. 同佢一齊好溫暖，可以點解釋???
得好少問題，希望可以覆我啦!!!!!!!

**By Anna**

**To：Anna**

1. 哈哈！呢個係你對佢嘅感覺嚟㗎啵，我又唔係你心入面嗰條毛毛蟲，你應該最清楚自己係唔係暗戀佢喇！你見到呢個男仔同佢女朋友一齊嘅時候，你會唔會有唔開心嘅感覺呢？有就代表而家暗戀佢；冇嘅話即係你只係當佢朋友啫。希望你可以有明確嘅答案俾自己喇！

2. 你所講嘅溫暖，係唔係因為覺得佢好親切呢？你喺學校入面嘅男性朋友多唔多㗎？如果唔多嘅話，有呢種感覺唔代表暗戀佢，只係代表你同男仔相處嘅機會比較少。相反，如果你喺一班好傾嘅男仔入面，淨係對佢有呢種特別溫暖嘅感覺，咁你可能已經鍾意咗佢喇！

**By情若珍姐姐**

## Case 3 愛情獵人

**To：情若珍姐姐**

你好呀！係第一次來信。希望可以抽到我啦；係咁嘅，我識咗個男仔已經半年，一開始我唔係幾鍾意呢個人，但係有同佢MSN，慢慢覺得佢都OK嘅。之後唔知咩原因我鍾意咗佢，但係佢有條女，有一日佢無喇喇同我講覺唔覺得佢鍾意咗我，我話有咩可能呀！你唔係有條女啦咩，佢話有唔鍾意得架咩…我嗰時呆呆哋，之後唔知咩情況之下開始同佢有啲曖昧。其實我覺得自己好衰，唔應該破壞人哋，但係我嗰時已經好鍾意佢，所以冇理咁多。有日佢問我做佢條女好唔好，佢話佢都想飛條女好耐，雖然我個心係好想，但係我覺得個女仔好慘，所以我都拒絕咗佢。7月1日佢無喇喇同我講鍾意我啦，叫我唔好再煩佢。我嗰時其實好唔開心，但係慢慢我就唔記得喇。有日佢無喇喇3M3我話好掛住我，佢之前所做係因為覺得對我唔公平，之後我原諒咗佢，又繼續曖昧。9月頭佢終於同條女散咗，佢打俾我問我做佢條女好唔好，我嗰時好開心應咗成咗佢。冇錯，一開頭真係好開心架，過咗幾日佢人都失蹤咗…佢浦頭嘅時候佢已經話唔好煩佢…我嗰時心都碎埋，喊咗好多日。呢排佢又SMS我話唔好放咁多時間喺佢到，佢話佢唔值得我咁做，又同我講對唔住，我淨係覆佢對唔住有咩用。其實我好後悔，我仲好愛佢，好掛住佢架。

1; 佢仲鍾唔鍾意我？
2; 點解佢要咁樣對我？

**By無名氏**

**To：無名氏**

1. 情若珍姐姐覺得呢個男仔可能「曾經」鍾意過你，但佢而家已經唔再鍾意你喇！如果佢係在意你嘅話就一早同佢女友分手喇，後來佢同咗你一齊又玩失蹤，又叫你唔好煩佢，即係話佢之前所講嘅嘢都只係花言巧語，你都係盡快放棄佢罷啦！

2. 佢可能係一個比較花心又自私嘅男仔。你未同佢一齊嘅時候，因為佢未將你得到手，所以佢對你好好。但係你一得到手，佢就唔再珍惜你。情若珍姐姐覺得佢對你唔認真，只係恃住玩吓嚇嘅心態，就好似獵人打獵咁，未到到獵物嘅時候就會窮追不捨，到捉到獵物嗰陣就唔再稀罕。可能你只係佢其中一個獵物，而佢只係享受追女仔嗰一刻嘅快感。所以你都係放棄呢個男仔喇，搵個真係愛你嘅人喇！呢個世界又唔係得佢一個男仔，加上佢嘅行為，情若珍姐姐好睇唔過眼呀！

**By情若珍姐姐**

## 大膽示愛區

「你講！你講吖！你講你愛我!!」都知大家有嘢想同愛人或心儀對象講，不過兜口兜面講就怕難為情，如果你都有啲肉肉麻麻嘅想透過「大膽示愛區」公告天下嘅話，都不妨來信到：lovesick@yes.com.hk，同大家分享一下。

**To：Ying**
不經不覺我已經鍾意咗你兩年！每次同你示愛你都好冷淡！我永遠只愛你一個。我會等你，等你接受我。I Love You，永遠愛你！
**By格連**

**To：可穎哥哥**
依次係我第一次暗戀人，都好辛苦吓！我以班長嘅角色繼續暗戀你下去，直至感覺淡然！Love You～我會忍下去！
**By欣**

**To：Timothy.T**
其實我真係好好鍾意你嫁！點解你對我好似咁冷淡吓？我之前已經暗戀咗你兩年，之後我知你都有鍾意過我，直到你升去中學，我直至而家已經鍾意咗你五、六年喇！而家我同你同一間中學，可唔可以一齊返呀！I Love You Forever>3<
**By Candy.S**

**To：秋怡**
傻豬老婆！今日係我陪你過嘅第一個生日，應承你嘅嘢我會做到！我愛你Forever…！
**By鏗鏗**

**To：白**
雖然我們只是網上認識，但是我一直愛著你，我希望總有一日，我同你都可以見面。
**By健**

# 夢

作者：姬

「I'm Your Boyfriend！」這是每個好朋友都很熟悉的開場白，每次他們帥氣的姿勢都會引起一陣刺耳的尖叫聲，「呀…她們吵死我了！」珉宇回到後台抱怨。「她們是喜歡我們才這樣呀！我們第一次來到中國，她們很高興而已！」賢星若無其事的安慰他。

珉宇搔了搔頭，便拿起外套轉身向外走。珉宇說：「我出去走走，我自己懂得回到酒店的，別擔心我。」他不理會哥哥們的警告，大搖大擺的走了。站在街道深深的把氧氣輸入肺裡，隨即咳嗽了。他心想：「還是韓國的空氣好。」

忽然有個女孩睜著那充滿關切的大眼睛看他，然後她用流利的韓語問：「你要水嗎？」「不用了，謝謝！」他好奇地打量她數眼後便問「妳是韓國人嗎？」「不是，韓語是我自學的。」她淺淺的一笑，露出可愛的酒窩。珉宇被那酒窩迷住了，眼裡只充斥著她的酒窩。他問：「妳能帶我去遊覽嗎？我第一次來中國，所以不太熟悉這地方。」怎麼了？為什麼他的心跳得這樣快，為什麼手心冒了這樣多汗？他不解。「可以呀！」她輕笑。接著說：「不過我要把這東西送回我家後，才可以帶你遊覽，你要在這兒等我嗎？」「我跟妳走！」珉宇自告奮勇的去當護花使者。瑤瑤心怦怦的跳，跟喜歡了3個月的珉宇一起遊走，這是她每天都想著的夢，今天她沒發夢嗎？她用力的掐了自己的臉頰一下，「疼疼！」她嘟著嘴輕撫自己的臉。「怎麼事？」珉宇被她的舉動嚇到，他站到瑤瑤前方，俯下去把她的臉上上下下都看一遍。「看什麼呀？」瑤被他看得很不自然，她正騰出一隻手打算把他推開，怎料一隻手輕易被他抓住了，然後他用另一隻手放在她的臉上，輕問：「痛嗎？」瑤瑤對望著他的雙眼，情不自禁的把自己的唇附了上去……

一陣陣微風吹過，淡粉的樹葉隨風飄舞……

「醫生，他怎樣了？」一把聲音焦急的問，「快點醒了吧！」床上的人緩緩將眼睛睜開，「瑤？」珉宇問。「胡說什麼？你在表演場地暈倒了，你沒事嗎？」賢星焦急的問。珉宇呆呆的看著窗子，那柔軟的觸感還停留在唇上，淚…緩緩落下。

## 讀者投稿

為鼓勵學生創作，歡迎投稿到〈愛情單元故事〉，每篇字數為700至800字左右。所有投稿作品必須為**原創作品**，並註明投稿人之真實姓名及聯絡方法。如發現投稿作品涉及抄襲成份，一切責任由投稿人承擔。有興趣者，請把個人原創作品電郵至lovenovel@yes.com.hk或郵寄至觀塘郵箱69518號，愛情單元故事收。

**Illustration**_Apo **Art**_Gary